算数脳

小3までに育てたい

高濱正伸
花まる学習会代表
算数オリンピック委員会理事

エッセンシャル出版社

はじめに

この本は、算数・数学の「思考力」に焦点を当てた本です。

「補助線を引いたあとの、どんなに立派な解法を見せられても、納得できない。引いたあとの説明は理解できるが、それではほとんど価値がない。その一本が自力で思い浮かばないからこそ困っている。ところが、補助線が思い浮かぶ秘訣を教えてくれる先生も本もないではないか」。学生時代のそんな素朴な思いが、原点にあります。

その疑問は、二十代の半ば以降に、塾や予備校などで教える仕事を始めてから、大きく膨らみました。ある程度のまじめさがあれば克服できる課題と、逆に「超えられない壁」としか言えない課題があって、後者の代表が「補助線が浮かぶ能力」です。他にも立体の切断面や理科の天体などで求められる「空間認識力」や、手を動かして図や表を描きながら考える「試行錯誤力」などがあるけれども、これらは、おそらく脳の一つの処理能力の問題だろうと推察しています。

一方で、差が開く原因として、別の要素があります。いわゆる「やる気」がその最大のものでしょうが、これは、たった一人の素敵な先生との出会いだけでプラスに転じることもあります。この本で扱っているのは、そこそこのやる気があったとしても、なかなか超えられない壁です。それは、ある種の「集中」の問題としてとらえられます。計算は速いけれども文章題が苦手という子が当たる「精読」の壁。漫然とした読書と一字一句読み落とさない読み方の違いが体得されていない問題で、母親が「ちゃんと読みなさい」と言えば言うほど伸びる芽をつぶしてしまうという怖さもあります。また、作問者が言いたいことを過不足なく一文でとらえる「要約力」や、筋道立てて考える一つひとつのステップに、勘や決めつけや思い込みに基づく、矛盾や破綻が無い「論理力」なども、その一つです。

これらの、大きく分けて二つの能力を、私は、「見える力」と「詰める力」と名づけました。さらに、現場で、4歳児から大学生まであらゆる学年の子たちを教えた実感として、それらは概ね、小学校三年生くらいまでに、大半ができあがってしまう能力であるととらえています。この本では、「見える力」と「詰める力」の二つが、「超えられない壁」である実例を示し、分析し、家庭でどう伸ばすべきかという提案をしています。

受験世界での数理的思考力を扱っていますが、何より世は実力主義時代。いい大学を出ても、人間力がなければ社会では食べていけません。ニート・引きこもりあふれる今日、単にいい中学高校・大学に合格することにとどまらず、一社会人として、活力にあふれ、必要とされ、仕事を楽しみ人生を楽しめる人に育ってほしいと、心から願って書きました。

保護者の皆様が、この本を読んだことが、少しでも、お子様の健やかな成長の糧になってくれれば、幸いです。

高濱正伸

もくじ

第二章　小3までに育てたい「算数脳」

十歳で将来が決まってしまう!?

伸びる子と伸びない子

「これ、足し算？　引き算？」

二人の子どもにちょっと歯ごたえのある文章題を出したとします。

二人とも真面目な性格で、学校の成績は良好です。中学受験を考えている高学年の子どもです。

A君は、与えられた問題に向かって、じーっと長考しています。

問題を渡された瞬間から二十分もの間、ほとんど身じろぎもせずに考え込んでいます。しびれを切らした講師が声をかけると「できません」と言います。「これ、難しいですね」と疲れた様子です。しかし、解説してあげると、ふんふんとうなずきながら熱心にメモを取り、「なるほど」と納得してくれました。

Bさんは、問題文を読むと、出てくる数字の下にアンダーラインを引きました。しばらく問題文を読み直していましたが、おもむろに顔を上げ、「これ、足し算かなあ？それとも引き算？」と尋ねます。ヒントを与えると、すぐに式を作り、あっという間に計算して正解を出しました。

それでは、ここで問題です。

じっと考え込むA君と、要領よく解答を出したBさん。

どちらが好ましいと思われるでしょうか？

実は、私たちの目から見ると、この二人は、二人ともまずい状態に入り込んでいるということになります。

まずA君ですが、彼が真剣に誠実に考えていたことは疑問の余地がないでしょう。当然、難問ですから、一読しただけで解答が出せるようなつくりにはなっていません。正解に到達するのに時間がかかること自体は仕方ないと言えます。

しかし、彼は問題に対して手も足も出そうとしませんでした。出したくても出しようがなかったというのが正直なところかもしれませんが、この、手も足も出てこないところ自体に彼の問題があるのです。

面白い実験があって、数学のできる子とできない子をビデオに撮ると、できる子というのは、もう最初から手が動いています。図を描いたり、表を作ったり、絵を描いたり、簡単な数や極端な数を入れて実験してみたりと、とにかく試す力という点にすごいものがあります。

一方で、できない子は問題を前に固まってしまいます。解説して、ここが大事なポイントだよ、と教えれば、「はい」と本当にキラキラしたいい目でうなずく。うなずくんだけど、次に新しい問題を与えると、やっぱり白紙で持ってくる。どうしてこの図を描かないの、と教えると、「ああ、それを描けばわかりますね」とすぐ理解できる。でも、自分からはなかなか描こうとしないのが特徴です。

手を動かして考える力、言い換えれば試行錯誤能力とでも呼ぶべき力は、お箸の持ち方と同じで、後からは決して伸ばすことのできない力です。

すぐにあれこれ試したがる方か、試しを嫌がってじっと見つめるタイプか、早い段階でどちらかを選択した後は、ある種の人生観とか美意識、生活に対する構えのようなものとなってその子に根付いてしまいます。観察していると、普段から人を笑わせてやろうとたくらんでいるような子は、試行錯誤が得意な場合が多いように思えます。仕掛けるセンスと言うのでしょうか。A君は、残念ながらこの能力をもたないまま成長してきてしまったようです。

次にBさんです。お母さんも非常に熱心なタイプで、彼女の強みは、小さい頃からドリルで鍛え上げてきた計算力です。話題になっている百ます計算なども、嫌がらずにこなす努力家です。

そんなBさんのどこが問題なのでしょうか。

実は、Bさんが発した質問、「これ足し算？　引き算？」というのは、考えることをやめてしまった子どもたち特有の質問です。我々の間では、これを聞くようになった子は、黄色信号、いや、赤信号と考えています。

こう質問する子どもたちは、文章題に当たったときに、すぐ答えを出したがる、計算という作業に持ち込みたがるという特徴があります。なまじ計算が得意なタイプに多いとも言えます。低学年期は計算能力さえ優れていれば問題文を読んだだけで正解が出せるようなものが多いですから、そのときにきちんと式を作ること、なぜその式が正しいか自分なりの検証を行わないまま正解の丸付けだけで喜んでいたような子が、はまりやすいように思えます。具体的には、高学年になって文章題を解こうとするときに、途中の式を省略化したがるようであったら要注意です。

そもそも、文章題というのは、問題文を読んで、集中し、自分の中でいかに構造化して再現させているかを見ているわけです。

そこが一番大切な勉強のがんばりどころになるはずなのに、こういう子たちは答えを出すことにしか関心がありません。だから、問題文の中に入り込むことをせず、問題文に書いてある数字だけを並べ換えて何とかできないかと発想して、どの武器を出したらいいかだけを知りたがります。すなわち、問題文を計算という考える必要のないブラックボックスに置き換えて作業をすることだけが勉強だと思いこんでいるわけです。それが典型的に前述のような質問となって表れるというわけです。

誤解のないように付け加えますが、計算能力は非常に大切です。算数・数学の世界に入る、「イロハ」の「イ」です。百ます計算やドリルは、この「イロハ」の「イ」である基礎学力を確実に定着させるために大変便利なツールですから、どんどん使っていいのです。しかし、そこだけを勉強だと思っていると、最後のところで必ず壁にぶち当たります。

熱心なお母さんで勘違いされている方がときどきいらっしゃいますが、幼稚園児なのにかけ算ができる、逆算で割り算ができるといったことが、イコール頭がいいということではありません。

計算とは、いわば作業です。以前、微分積分ができる幼稚園児が話題になったことがありましたが、それは微積の機械的作業部分に注目すれば、仕込むのは可能というだけであって、本当にわかった、理解したということとはほど遠いことですし、それで最後の差になる部分まで解決できると思っては大間違いだという点をしっかり認識していただきたいと思います。

さて、A君とBさんのケースを見てきたわけですが、この二人に共通している問題点は、思考能力が育っていないという部分に集約されます。

思考というのは、常にダイナミックに動き続ける活力のようなものだと、私は考えています。中学入試でなぜ場合の数や整数問題が出題されるか、それは、この思考力という活力がどれだけその子の中に育ってきているかを見たいからに他なりません。

問題を前に固まってしまうA君は、思考を開始するためのキーを持たずに成長してきてしまいました。

答えを急ぐBさんは、思考そのものを放棄したまま成長してきてしまいました。

彼らが脇道に逸れてしまった原因。それは、幼児期の育ち方にあるのです。

補助線が浮かばない！

今度は、中学生のCさんの例を見てみましょう。

Cさんは大変な勉強家です。いわゆる級長タイプのしっかりした子で、やったことのない問題集は、ほとんどないと言えるほどの積み上げをしてきています。思考力もない方ではありません。文章題では丁寧に図を描き、途中の式を立ち上げて解ききることができます。

そんなCさんの泣き所は、図形問題でした。

ご存じのように、いい図形問題というのは、必ず補助線を引いて考えるようにできています。

Cさんもそれはよく承知していました。彼女の家に行くと、学習机の前に「補助線を引け！」と大書した紙が張ってあったくらいです。もちろん、それぞれの図形の性質や定理はよく理解していて、先生の説明を聞いたり、問題集の解答を見たりすれば、なぜその補助線が必要かはすぐわかります。先生の引いてくれた補助線を見るたびに、やっぱりこの一本だなとは、思うのです。思うけれども、いざ白紙の手の着いていない問題に向き合って自分と問題だけになってみると、やっぱり出てこない。あれこれ筋の悪い線ばかり何本も引いて、結局は「できませんでした」ということになるのです。

この、補助線が浮かばないというのは、実は非常に切実な問題です。

と言うのも、図形問題が得意な子にとって、補助線を引くことは造作もないことだからなのです。

図形問題が得意な子たちにとって、補助線というのは、問題が提示している図形の中に、自然と見えてくる一本の線に過ぎません。既に見えている線の上をなぞって書くだけですから、こんなに簡単なことはないわけです。補助線なんて、彼らからすれば、エンピツで実際の線を引いてみるまでもなく、最初からそこに引かれていたも同然のものなのです。

しかし、苦手な子からすると、そもそもどうしてそこに補助線を引く発想が浮かぶのか、そのこと自体がわかりません。

だって、実際には印刷されていないわけですからね。何もないところに線が見えるでしょうなんて言われても、見れば見るほど「?」しか浮かんでこない。試しに適当なところに線を引いてみるくらいはできますが、それがハズレの線だったりすると大変です。余計な線が増えて更に問題が複雑になり、ついには迷宮入りしてしまいます。しかも、こういう子に限って、何故か必ずハズレの線を引いてしまうものなのです。

その一方で、得意な子たちは何の苦労も迷いもなく、最初から正しい線をぴっと引きます。どうしてそこに補助線を入れようと発想したのか、その理由を聞かれたとしたら、今度は彼らの方が「?」となってしまうでしょう。

この二者の違い、これこそ我々が「越えられない壁」と呼んでいるもののひとつです。

「越えられない壁」とはどういうものか、例をあげるとすると、方向音痴な人がいますね。多分その人は子どもの頃から方向感覚がなくて、大人になってもやっぱり方向がわからないのではないでしょうか。現代社会ではそれでも生きていけるからいいのですが、別にいいやと言ったからといって、方向音痴は治りません。補助線が浮かぶ能力というのも似たようなものです。わからない人には一生わからないし、わかる人には、ただ単純にわかるのです。

では、補助線なんか浮かばなくても構わないかと思うと、そういうものでもないわけです。中学入試に留まらず、大学入試でも国家公務員試験でも、必ず図形感覚を問うような問題を出してきます。

図形感覚とは、敢えて言い換えるとすると、「見えてしまう能力」と表現することができます。

つまり、実際には書いていない線も含めて、見えてしまうイメージ力のことだといえるでしょう。それができる能力が、頭の良さというものであり、まさにそういった活力ある頭脳の持ち主に来てもらいたいがために、中・高・大学入試や国家公務員試験では図形問題を出題するのです。

図形が苦手な子に攻略法を授けて、取りあえずの入試に間に合わせることも不可能ではありません。

しかし、白紙の問題に向かっていきなり補助線が浮かぶような子とは本質的に違います。片方はテクニックであり、もう片方は能力です。能力としてもっているものは、どんな相手がきても揺らいだりしませんし、時間が経っても忘れることがないのです。

では、図形感覚はいつ頃身に着けるものなのでしょうか。

先ほどの、方向音痴の人の例で考えてみましょう。彼が方向音痴になったのは、いつのことだと思いますか。

「いつの間にか」あるいは、「気付いたときには」方向音痴だった。そうではないでしょうか。

でも、遺伝ではありませんよね。同じ家族の中に、方向音痴な人もいれば、方向感覚がしっかりした人もいるのは、よくあることです。また、うんと小さいときは、方向感覚がない方が普通です。たとえば、遠出したときに「おうちはどちらの方向？」と聞かれて正確に答えられる子どもは滅多にいません。そうだとすると、子ども時代の経験がカギになっていると考えるのが自然です。

図形感覚も同じです。

「越えられない壁」を越える能力を手に入れられるか否かは、幼児期の体験にかかっているのです。

「百ます」だけでは子どもは伸びない

「百ます計算」とは何か

「百ます計算」という勉強法が話題になりました。もともとは公立の小学校の先生が考案した方法だそうですが、計算力を上げるのに非常に成果があるということでマスコミが取りあげ、一種のムーブメントを巻き起こしました。

今は大分落ち着いてきたかのように見えますが、それでも、「百ます」「陰山式」という言葉自体はまだまだ現役で、書店に行くと、これらの名を冠した教材、果てはビジネス書まで並んでいるのには驚かされます。「百ます」や「陰山式」をやりさえすれば問題がすべて解決するかのように思わせてしまうあたり、マスコミの罪は深いと感じています。

では、子どもの学力問題に限って考えたときに、「百ます計算」はどのくらい威力を発揮するのでしょうか。

それには、まず「百ます」のシステムについて検証しなくてはなりません。

百ます計算とは、タテヨコ十ずつ、合計百個のマス目に任意の数字を当てはめ、規定時間内に指定された方法でタテヨコの両方向を計算していくドリルです。「百ます」と言うと何となくインパクトがあって、いかにも効きそうに聞こえますが、別に百にこだわる必要はなく、タテヨコ同じ数ずつのマス目を用意して正方形が作れていさえすれば四九でも二五でも同じです。「百」、というのは単に語呂がいい程度のことに過ぎません。

これを、ストップウォッチを持ってきて、「よーい、ドン」とやらせ、どれだけできたかを競わせるわけです。ただし、他人との競争ではなく、前回の自分の成績との競争です。できる子はできる子なりに、できない子もできない子なりに自分の成長具合が見えるので、達成感をもたせやすい部分があると思います。

特に、できない子にとっても救いがあるのが特徴です。いつも百点を取る○○ちゃんは毎回が「引き分け」ですが、前回が零点で今回五点なら「勝ち」になりますから、点数はさておいて勝敗だけを見ていれば、できない子ができる子に勝てる場面があるわけで、痛快に感じる子もいるのかもしれません。

こうしてみると、「百ます」とは、ゲームとして自分との競争に持ち込ませ、子どもたちのモチベーションを上げた状態で取り組ませることの可能なドリルである、と定義することができそうです。

で、この方式で計算問題を毎日やらせたら、子どもたちの学力が飛躍的に伸びたと言います。

本当でしょうか。

「百ます」で伸びる力、伸びない力

私が最初に百ます計算の話を聞いたとき、まず思ったことは、公立学校の教育レベルはそんなに落ちてしまったのか、ということでした。

学校で行うものであるという点に注目すれば、確かにやや目新しい感は受けましたが、ご存じの通り、子どもたちのモチベーションを下げずに計算問題に向かわせる取り組みなら、既にいろいろな塾で行われています。いや、むしろ、こういった基礎学力を確かにするための時間は、以前から学校でも大事にしてきていたはずです。少なくとも、私自身が子どもの頃は、計算ができない子に対して、宿題を出したり居残りで勉強させたりなど、必ずできるようにする指導があるのが普通でした。

計算ができるようになるだけで大騒ぎするとは、いよいよ大変な時代になったものだと思っていましたら、知能指数が上がった、集中力が上がった、難関私立中学の入試問題が解けた、と、次第に話が大きくなってきました。

知能指数や集中力のことは、どうやって調べたのかわかりませんし、どれだけ再現性のあるデータなのかわかりませんから言及を避けますが、難関校の入試問題というところについては、よく本を読んでみたら計算問題が解けた、ということなのだそうですね。もっとも、これも、どんな計算問題を何人中の何人が正解したのか公表していませんから詳しいことはわかりませんが、いずれにしても、所詮は計算問題ですし、計算問題からわかるものは、計算という「作業」の処理能力だけです。

しかし、算数、数学の世界にとって、計算力というのは土台に過ぎません。

もちろん土台は大切です。計算は必ず誰でもできるようになっていなくてはならない能力だと考えています。先ほども述べましたように、「百ます」は子どものモチベーションを上げて「単純ゆえに退屈な計算問題の反復」に取り組ませる点では、なかなか優れたシステムです。ですから、たとえば中学生なのに分数の四則計算ができないような子にとっては威力のある方法だと考えます。

でも、それだけで全てがクリアになると思う人がいるとしたら、ちょっと待ってくださいと言わざるを得ません。誰にでもできることをできるようにしたぐらいで、すごいすごいと囃し立てるようなムーブメントには、正直なところ、疑問を感じています。

計算能力というのは、国語で言えば「イロハ」の「イ」です。「イロハ」が書けるからといって誰でも直木賞が取れるわけではないように、計算ができたからといって、算数や数学ができるようになったわけではありません。

直木賞と言わないまでも、中学入試でよく出題されるような整数問題を一度ご覧になってみてください。あれは、計算問題ではありませんよね。数で作られた「知恵の輪」を解けますか、と、きいているのです。

算数や数学の世界で一番面白いところは、計算の速さとは別のところにあります。全能力を傾けて考えているときの緊張感。意外なところから隠された道を見つけだしたときの言いようのない嬉しさ。次々に道をつないでいくときの、スリリングでワクワクする感覚。解ききったときの、すべて自分の頭で考えたという達成感。そう、まるでハリウッド映画の主人公にでもなったような充実感があるのが、算数、数学本来の姿です。だから、大学入試の数学などでも途中経過を重用視しているのです。その生徒が何を考え、どんな道を通ってきたかを評価して、途中の説明や式に部分点を出すようになっています。

一番おもしろくて、一番大事で、一番教えるのが難しくて、一番差を埋めるのが難しいところ、算数や数学の醍醐味は、「思考する」部分にあるのです。

そちらを見ないで、誰にでもできることを一番大事だと思いこんで勘違いしてしまった子は、結局、思考力のところで伸び悩むことになります。前章のB子さんのように、思考の部分を放棄して「これ、足し算？　引き算？」と聞くようになったら重症です。そこまで行かなくても、途中の式を面倒がったり、すぐ答えを出したがるようなら注意した方がいいでしょう。授業や受験だけのことで済めばいいですが、計算が速くできたことで自分は頭がいいと信じ込み、そこにアイデンティティやプライドを形成してしまっている場合は、思考力の壁にぶつかったときに挫折感を味わい、深刻な悩みになることさえあるのです。

計算ができること。それは、数学ができることとも、頭がいいこととも、イコールではなく、はっきり言って誰にでもできることです。ましてや、算数・数学の世界のゴールなどでは決してなく、これができてやっとスタートラインに立ったというレベル、そんなところはサッサと卒業してほしい段階に過ぎません。

流行に乗って、あたかも「百ます」が万能であるかのような喧伝に触れられる機会も多いと思います。しかし、「百ます」で伸びる、計算が速い・正確だ、という能力は、作業能力であって、思考力ではないことを、この本の読者の皆さんにはしっかり認識していただきたいと思います。

本当に伸ばしたい力は、別にあるのです。

十歳で将来が決まってしまう？

六年生ではもう遅い

六年生の一学期。

伸びる子がぐんぐん伸び始め、伸びない子が壁にぶち当たる時期です。

伸びる子たちの伸び方を見ていると、まさに砂に水という表現がぴったりの吸収力です。五年生までとは解ける問題の難しさが格段にレベルアップして、抽象的に複雑な問題が面白くてたまりません。「鍛錬を求める時期」とでも言いましょうか、誰にでもできる計算反復のような問題よりも、誰にも解けないような難問を持ち込まれるのを喜びます。ひとり密かに何時間も何日も考えてやっとできた問題を、「どうだ！」とばかりに披露する姿には頼もしいものを感じます。

記憶という意味でも、いくらでも知識が入っていきますし、こちらもまた、誰でも知っているようなことより、「えっ！」と仲間が驚くような知識を欲しがります。

とにかく、彼らを見ていると、ぐんぐん伸びていくのが手に取るようにわかるのです。親のレベルを軽く超えてしまう子が出てくるのもこの時期です。

その一方で、伸びない子たちは、もう顔つきからして違います。

もちろん彼らとて頑張ってはいるのです。彼らなりに誠実に問題に取り組もうとし、熱心に解説を聞き、真面目に勉強しています。

でも、伸びない。

何度解説を聞いても、よしんば解法を丸暗記したのを応用して問題に正解を出すことができるようになったとしても、いわゆる受験技術というか、テクニック面での習熟度を上げていくことしかできません。自分の頭で考えて「わかった！」という実感をもつことから、彼らは遠く離れてしまっています。

子どもが学力を伸ばしていくために必要なものが、もはや失われているのです。

更に悲劇的なことですが、六年生になって伸びるか伸びないかは、実は五年生になった時点で既に分かれています。

解ける問題自体は同じだったとしても、あるいは、やったことのある問題集の数が伸びない子の方が多かったとしても、我々から見ると、この子は伸びる子、この子は苦労しそうな子、というのがはっきりわかります。

どこにその分岐点があるのか分かれる時期を追求していくと、個人差もありますが、大まかにいって四年生のどこかであると私は考えています。

では、四年生の一年間に何があるのでしょうか。

四年生は「わかれ」の季節

四年生、すなわち九歳から十歳というのは、発達段階として人間が非常に変化する時期に当たります。

思春期に向けて体つきが変わってくるより少し前の時期ですが、私の幼児教育での師匠である仔羊幼稚園の上里龍生先生の言葉で言うと、「そこで人は変態を遂げる」のです。

一説によると、九歳までの間に、人間としての基本的な脳のソフトウェアが固まってしまうとも聞きます。大脳生理学的な検証は専門家に譲るとして、日々子どもたちと接している経験から言うと、具体的には九歳までに基礎能力の部分での発達を完了して、それ以降は、そこまでの間に、もち得た能力を発展させていく段階に入るというイメージです。

つまり九歳、小3までの段階で、頭の中に空間そのものを描けない子は、その後どんなに努力しても立体の問題を本当にわかるようにはなかなかなり得ないということです。

空間に対する認識力の他にも、我々が「越えられない壁」と呼んでいる能力のほとんどは、小3までが勝負です。語学のようなものは真面目であることが勝利の方程式ですから急ぐ必要はないのですが、数学的能力に関する部分に限って言うと、小3までに取得できた能力にすべてがかかっていると言って、過言ではありません。

読者の皆さんも、ご自身の過去をふり返ってみてください。得意不得意がはっきりしてきたのはこの辺からだったのではないでしょうか。

もうひとつ、伸びない子が伸びない、能力よりもっと大きい原因として、モチベーション、意欲という問題があります。

これは一般的に考えられているよりずっと厄介な問題で、ある種の勉強に対するパターンができてしまってからでは、もう方向修正が効かないものです。特に高学年になってからでは、子どもの側でも親に対する対処法が確立してしまっていますから、親がなだめようが脅そうが、するすると受け流すばかりで、聞いてなんかくれません。

意欲の問題を一言で表現すると、伸びない子たちは、本当は勉強が嫌い、というところに行き着きます。

本当は嫌い。

でも、やっている。

そのココロは、お母さんを喜ばせるためか、お母さんに言われるから仕方なくか、二通りあると思いますが、いずれにせよお母さんとの関係が根幹にあって、単にやって見せているという状態です。要するに、本当には勉強していないわけです。

そこへどんどん複雑な問題が来るからますます勉強がイヤなものになっていきます。加えて、能力の部分で育ちきっていないものがある子には、次から次へと越えられない壁が迫ってくることになります。意欲の育たなかった子に限って能力部分でも育ちきっていないというケースが多いものですが、当人の身になってみると、これは辛いですよね。痛いところをグリグリとつつかれるようなもので、やっていて楽しいはずがありません。見かけは似ているかもしれませんが、伸びる子たちが面白がってやっているのは全然違います。

お母さんたちは、誰しも我が子を伸ばしたいと考えています。

しかし、子どもというのは、必ず芽の出る種なのです。そして、芽を出せば必ず伸びます。

それを、伸ばしてやりたいと思うあまり、芽の出る前から無理矢理こじ開けて種をダメにしてしまったり、やっと出てきた芽を無理矢理引っ張って、ちぎってしまったりすることがあるのです。もちろん愛情が溢れればこそのことなのですが、それが逆の結果を引き起こしていることは、意外と多いのです。

また、芽を出したくても出せない環境があるケースも、少なくありません。水分、酸素、温度と、植物ならば言うような条件が、子どもという種にもあって、芽を出してもいいかどうか周りをじっとうかがっているというわけです。傍目八目と言いますが、親自身は無意識でやっているような部分が子どもの側では大問題ということは多々見られます。そもそも親という存在自体が子どもにとって最大の環境だということを忘れてはなりません。

伸びていく子か、伸びられない子か、それが分かれるのは四年生の一年間のどこかにあると、先ほど書きました。しかし実は、それは、外から見ると、という話です。

伸びていく子か、伸びられない子か。

それを決めるのは、三年生までの九年間にあるのです。

花まるエッセイ①　「恥ずかしい」気持ち

小学四年生の男の子、Y君の話です。一年生の頃から感受性が強く、とてもやさしい心をもっている反面、悲しくなるとすぐ泣くし、こうだと言い張りだしたら誰がなんと言おうと、てこでも動かない面がある子でした。

彼はその日、花まる学習会で行うプリント「なぞぺー」がどうしても分からなくて、珍しく悪態をつき始めました。先生に向かってそのような汚い言葉を言う子ではないので、講師は冷静に叱ります。しかし、どうしても激した感情がおさまらないらしく、謝りません。「謝れないならもう教えないから、お家でやりなさい」と言うと、それでも屈せず、帰ってしまいました。

講師は、「全く頑固なんだから」と特に気にもとめず、次にはケロリと忘れてやってくる姿を想像していました。ところが、翌週のお母様からの連絡帳で、意外な事実が判明しました。

Y君は帰宅すると、布団に突っ伏して号泣し始めたというのです。なにがあったのと聞いてもなかなか答えようとしません。ようやく泣きながら出た言葉は、「きょう、とても恥ずかしいことをしてしまった」という一言でした。そして、先生にひどい言葉を言ってしまって、しかも謝らなかった経緯を告白してくれたそうです。

この話を聞いていて、私はドキッとさせられました。もしもお母様からの連絡がなければ、「高学年になって頑固ぶりがひどくなった」程度の評価をして済ませてしまっていたでしょう。ところが事実は、Y君は内面に高いモラル意識と清らかな精神を育んでいたのです。すなわち、彼を見損なっていたということです。

憎まれ口やちょっかいが、実は「僕を見てほしい、私を構ってほしい」というメッセージであることが、よくあります。「花まる」で見せている優等生の態度が、お家では全然異なるという例もたびたびあります。また、子どもたちが書く作文を読んで、「この子にこんなところがあったんだなと知ってびっくりしました」という反応を、保護者の方からいただくこともよくあります。

表面上の態度やふるまいで一面的に子どもを評価してはいけない、たくさんの見えない部分があるものだと、基本の心構えとして分かってはいても、現実にはこうして見損じることがあるのです。子どもの心をしっかりとつかむことの難しさを感じました。

さて、感情をコントロールできず悪態をつくような失敗は、誰でもいつでもしでかしてしまいます。しかし、それを泣いて「恥ずかしい」と反省するほどの心は、誰でも持ち合わせているわけではありません。

Y君は乳・幼児期を十全に過ごしたということの表れでしょう。家庭が素晴らしい証拠でしょう。社会全体のマナーの崩壊、モラルの低下を危惧しているだけに、とても大切な光に接した気持ちがしたエピソードでした。

花まるエッセイ② 車椅子の先生とオーストラリア

花まる学習会には、名物先生がいます。車椅子の千葉佳子さんです。

私は、障害を持った方とふれる時間の少なさが、日本が世界から尊敬されない原因のひとつになっているな、できるだけ幼い時期に特別の場ではなく普通に接する機会をたくさん作ることが大事だな、と二十代の多感な時期に考えていました。花まる設立にあたり、幼稚園のテーブルでやるということで、先生として誰かよい人に来てもらえないかと思いつき、市会議員にかけあって、千葉さんを紹介されました。

以来八年間、川口、浦和の教室で活躍し続けてもらい、今では「うちの子の担当は、なんとか千葉先生にしてもらいたいんですが」と要望が来るほどの人気講師になりました。千葉先生が到着すると、スロープを上がるのを手助けする子、床についた両輪の跡を拭くためにモップを取りに来る子、みんなが自然にできるようになっています。

その千葉さんからオーストラリアのよさについて聞きました。ご主人の雅昭さんがパラリンピックの車椅子短距離競技の選手として、三大会連続の出場を果たされたのですが、それまでのどんな大会よりも、シドニーの雰囲気が素晴らしかったというのです。

千葉さんがおっしゃるには、その１：どの競技場も満員で、特に地元選手が出ているとなるとものすごい大声援になるのだが、たまたま雅昭さんの決勝のときには豪州選手がいなかった。すると何気なく隣の人に「次に出るのは私の夫なんだ」と言ったら、たちまち口コミで回りに伝わり、「チバ、チバ」の大応援になった。結果は7着だったけど、皆が立ち上がり、妻である千葉さんにスタンディングオベーションを送ってくれた。

その2：競技場が満員になるのには秘密がある。交通費や競技場入場代を含めたフリーパスを発行して、行政が応援してくれている。また、かなり離れた市からも「遠足」として小中学生が学校を挙げて見に来る。子ども時代に、ハンディに負けずに闘う姿を見せることが、子どもの心の育成にどんなに意味があるかを、皆が分かっている。

その3：応援中に、手作りの大きな日の丸を掲げようとした。広い競技場の中で、係員が来て、「きょうは風が強いからやめてくれ」と言った。一生懸命理由を説明していると、数人の若者が来て、「風が当たらないんならいいだろう」と、皆で回りに立ってくれ、競技が終わるまでずっと風よけになってくれた。

……そのほかにも、町中の雰囲気といい、ほかの国では考えられないような、好意的で温かい雰囲気に満ちていたということです。話を聞いていて、私もオーストラリアが大好きになりました。草の根の、記事にもならない交流のエピソードですが、こういう伝聞はずしんと心に響き、国の格を上げるなと思います。

ひるがえってこの国では、電車の中を見れば一事が万事。携帯着メロ流し放題で、ドア付近に陣取っても他人の迷惑と気づかず、お年寄りが乗ってきても寝てるふりをして席を譲ろうともしない若者が大勢います。

大人が協力して、なるべく小さい時期によい環境を与え、自然体で「風よけ」になってみせるような思いやりある人に育てていきたいなと思います。

花まるエッセイ③　「規準」

「帰る！」「ダメよ！」三年生の男の子Y君と、担任の女性講師が押し問答をしています。Y君は、新年度になってから宿題を全然やってこなくなっていたので、きょうこそは逃がさず居残りで仕上げさせようと、体を張っているのでした。

しばらく私はその様子を見ていたのですが、案外Y君の体力があって形勢が悪かったのと、「今が勝負だ」と感じたので、出ていくことにしました。

抱え上げて椅子に座らせ、真横に座って「やりあげるまでは絶対帰さないからな」と言うと、Y君は泣き出してしまいました。その時点で長丁場の覚悟はしましたが、本当に長期戦になりました。説得する。「嫌だ」と反発する。叱る。泣く。じっと待つ。の繰り返しで、とうとう園を出る時刻になってしまったので、後ろで座って見守っていたお母さんに、Y君の乗ってきた自転車は持って帰ってもらい、車で本部まで連れて行きました。その間も、友達が全員帰宅してしまい、子ども一人になったところで号泣、掃除も終わって園の電気を全部消したところで号泣と、大騒ぎでした。

しかし、真剣な気持ちは通じるもので、何度も何度も耳元で「君を苦しめようとは思っていない。宿題をさぼるような人間になってはいけないんだ」、「君が将来食っていける人になるために言っているんだ」と呟き続けました。すると、本部に戻って小一時間経ったころ、ふと見ると、いつの間にかコリコリと鉛筆を動かしているのでした。

もう何も言わずに放っておくと、ひたすら頑張り続けました。全部が終わってお母さんが迎えに来たときには、夜の十時過ぎでしたが、そのときのY君の表情は、憑き物がとれたようなすがすがしさと自信に満ちていました。車の中でもお母さんに「なにかスッキリした」と話していたそうです。

「見逃しの罪」というものがあります。子どもは自由に振る舞える領域を常に広げようとする生き物ですが、つい一回のわがままを許し、見逃してしまったばかりに、子どもが既得権にしてしまって親の言うことを聞かなくなり、結局は将来のその子にとって是非とも必要なしつけをし損なうことです。

子どもは大人に「規準」を求めています。日々の生活の中で「駄目なものは駄目」という毅然たる態度を失わないようにしたいものです。また、すでに見逃してしまっていたら、どこかで体を張って勝負をかけてほしいと思います。

「絶対に許してはいけないこと」とは性質が異なりますが、「是非とも勧めたいもの」も、照れたり面倒がらずに応援してあげましょう。「読書日記」がそうです。たまさか昨年から今年にかけて採用した講師の中で、飛び抜けて言葉がしっかりしている（言いたいことを的確に表現している、言葉を選んで話している等）若者が二人いたのですが、なんと彼らの二人が二人とも、幼児期に読書日記をつけていたのです。一人の幼稚園時代の一行感想を見せてもらいましたが、たどたどしいながら本が大好きという気持ちがあふれているし、数年分をまとめて読むと確かな言葉の成長が見られます。日々の一行の積み重ねが、「自分の言葉」で表現できる礎を作ったことは間違いありません。
許されざるは決して許さず、よきことは自信を持って伝える大人でありたいものです。

小3までに育てたい「算数脳」

「算数脳」が必要な、これだけの理由

算数なんか、できなくたっていいじゃない？

算数について触れる前に、まず運動のことについて考えてみましょう。

体育というのは、小学生に一番人気のある教科だそうですね。

通常、小学生時代と言えば、人生で一番と言っていいほど元気な時期です。神経系が発達し、骨も筋肉もどんどん成長していきますから、もう本能的に身体を動かしたくてしょうがない。新陳代謝も活発で、多少運動したくらいで疲れを感じるようなことなどありません。放っておくと一日中でも走り回り、跳び回っているのが自然な姿です。

そんな運動欲求の高い子どもたちが、机に向かって何時間もじっとしていることを余儀なくされているのが、学校という場であるわけです。思い切り身体を動かせる体育の時間

が大好きなのは当然だと思います。

ところが、体育が一番嫌い、という子もいます。

走るのが遅いとか、鉄棒で逆上がりができないとか、跳び箱が跳べないとか、ボールがうまく投げられないとか、何か苦手なものがあったときに、子どもというのは残酷で、できない子をわっと笑ったりします。小学校時代は運動ができる子がリーダーシップを取りますから、運動が苦手な子は笑いの対象になってしまうわけです。

そこへもってきて、先生も理解がなくて、「できないのはお前だけだ」なんてことを言う。できない子の痛みに沿ってくれないから、その子は、悲しいことに笑われっぱなしになってしまうのです。

運動が苦手になる要因には、肥満だったり、標準より小さかったり、あるいは幼児時代に運動ができない事情があったり、自分の努力だけではすぐに解決できないものも多いですから、ちょっとくらい頑張ってもできるようにならない。その上、高学年になればなるほど、できなくちゃいけないことが高度になって来て、でも、それ以前の積み上げができていない子に、できるわけないのです。馬跳びができなければ跳び箱も跳べないし、普通の前回し縄跳びができない子に二重跳びを要求しても無理です。できないから、ますます体育が嫌になっていく、悪循環です。

こうやって体育が嫌いになった子に対して、周囲がフォローのつもりで言う言葉に、「でも、勉強できるからいいじゃない」なんていうのがありますが、あれは当人の側からすると全くフォローにはなってはいません。「あなたは運動ができないという欠陥があるから慰めてあげましょう」と言われているようなもので、余計惨めになってしまうだけです。「運動コンプレックスは、運動でこそ克服すべきだ」ということが、私の考えです。

ひとたび体育が嫌いになると、運動に対して、常に消極的な反応をするようになります。お父さんたちが、かなり手遅れ的な体型になってから、家族にやいやい言われて渋々ジョギングを始めるというのは、まだ健康的な反応で、小学校時代の「運動が嫌い」が転じて、「自分の身体が嫌い」、「自分が嫌い」と深い悩みに発展していくケースも現実に存在します。

さて、算数と体育は、似たところがあります。

体育が自分の身体を動かす能力を要求するのに対し、算数は自分の頭をどれだけ動かせるかを問う教科です。つまり、必要なものは両親からもらった「自分」ひとつである点が共通しています。

また、積み上げの必要な教科である部分も共通しています。普通の前回し跳びができて二重跳びに挑戦できるのと同じで、算数では、下位にある概念を自分のものにしてから上位にある問題に取り組む必要があります。

さらに、何の矛盾もなく身体または頭を働かせなくてはいけない点も似ています。右足が出ているときに左足を出してしまっては歩けませんね。算数でも同じです。

しかし、似ていないところもあります。

算数は、「嫌い」という子の多い教科です。

そんな子が言う言葉が、冒頭に挙げた「算数なんか、できなくたっていいじゃない」です。

親の方でも子どもにそう言われると、買い物のお釣りのこととか、計算力くらいのことでしか反論できないケースが多いのですが、まずそこが勘違いのもとだと言わざるを得ません。

算数とは、「考える力そのものを扱う」教科です。計算などごく一部です。

論理的な考え方が、算数にはあります。そこにないものが見えてしまうようなイメージ力があります。思いがけないところからヒントを拾い上げてくる柔軟性があります。思考力に関するすべてが算数にはあるのです。

しかも、大がかりな実験道具なんかいりません。実験すると言ったって、紙と鉛筆と三角定規くらいあれば事足ります。文字も、0から9までの十個が書ければいい。非常にシンプルです。

そのシンプルな中で、自分の頭ひとつをフルに回転させ、漏れや矛盾なく思考を積み上げていくのが、算数です。「考える」ということ自体を追求する教科は他にありません。

だからこそ、頭の良さの目安として算数が使われるのです。どれだけ働く頭脳をもっているかの指標としてふさわしいから、どこの中学でも必ず算数を入試科目に入れているのです。

算数が嫌い。そうなってしまった子は、だから、もしかすると、考えること自体を嫌いになってしまった子かもしれません。

また一方、ややこしいことですが、算数が好きと言っている子どもも安心できません。よくよく聞いてみたら計算は得意だから好きだけど、文章題や図形は嫌い、という場合だってあります。これは計算が得意なだけで、算数が嫌いと言っているのと同じことです。

「算数なんか、できなくたっていいじゃない」

いま、そうお子さんに言われたら、どう答えますか？

算数は「生きる力」

算数は思考力だというお話をしてきましたが、別に算数をしなくても、みんな日々何かしら頭を使って考えているわけです。それは人間として生まれてきた以上、当然のことで、つまり人間とは考える存在であると言ってもいいと思います。

同時にそこが問題で、考えるだけなら誰でも考えているけれど、思考の質といいますか、どんな風に考えていたら人生が楽しくなるか、というのが一番大事なことだと思います。

なんだか宗教がかったような言い方になってしまいましたが、たとえば、愚痴ばっかり言っている人がいるとします。しかもよく聞いてみると、来る日も来る日も同じようなことに腹を立てたり悩んだりしている。そんなに嫌なら何か行動を起こせばいいのに、何もしないでグチグチたらたら文句ばかり言っていて、もしかしたら、それが娯楽なんじゃないかとさえ思えるような人です。ああ、と思い当たる例が身近にいるかもしれませんね。

まあ、当人が楽しくて、社交性のつもりで愚痴を言っているなら仕方ないですが、大抵はそんなことはなくて、真面目に悩んでいたりします。周囲の方こそ迷惑で、愚痴なんか聞いても面白いはずがないんですが、本人が悩んでいるから仕方なく聞いてやっているわけです。

それからまた、何をやらせても段取りの悪い人というのがいます。何度でも同じ罠にはまってしまうとか、失敗しないまでも、何回やっても仕事の効率が上がってこないような人。仕事自体の難易度も関係ないとは言いませんが、街頭のティッシュ配りでも効率のいい人と悪い人の差は歴然とあるわけです。もちろん本人は一生懸命やっているつもりだし、本人なりに達成感も喜びもあるんでしょうが、はたから見ている者からすれば、この人大変だろうなあと思ってしまいます。

つまらない人というのは、要するに「思考が積み上がってこない人」だと思うわけです。無用な繰り返しというか、無駄が多いというか、それでどうなるの？　と感じるようなことばかりやってしまう人だと思います。

自分がつまっていると言いたいのではなくて、素晴らしい人と出会うたびに、自分は何をやっているんだろうと反省することの多い人生ではあるのですが、それでも、比較して結構楽しくやっている方ではないかと思います。

人間というのは、感動して考えて生きるようにできています。

皆さんもきっとそうだと思いますが、日々新しい感動があります。緑の葉っぱが美しかったとか、映画が素晴らしかったとか、心が動く場面というのは毎日の中にたくさんあります。それを、「ああ、感動した」と止めてしまうのではつまってこないのです。新緑の美しさを味わったら、その感動を有機的につなげて、季節の変わり目には美しい物があるなと考える。人間って、そうやって束ねて考えたがるものなんじゃないかと思うのです。

でも、その束ね方の質が悪いと、何言ってるんだかな、ということになってしまいます。たとえば、今、おかしな事件が次々に起こる時代になっていますが、その背景には「快であればいい」という非常に短絡的な思考が見える気がします。「イジメ」だってそうです。背景に練りあがった思考がありません。だから、質のいい思考を支える基盤が必要になってくるのです。

算数だけが素晴らしいと言う気はありません。自立につなげていくことが教育ですから、国語でも英語でも、生きていくために自分が得意な武器があって生活していければいいと思います。

でも、やはり算数の魅力を知らないで終わってしまうのは、もったいないことだと言いたいのです。

算数には、考えるということの「全て」があります。

ひとつひとつ積み上げていく面白さ、今日も明日も一歩ずつ積み上げていく面白さがあります。課題に対して、さあどうしようかな、と楽しみながら取り組める面白さがあります。

それがわかれば、愚痴を言ったり、同じ失敗を繰り返すようにはならないと思うのです。

算数の苦手な子が、新しい問題にぶつかったときに、よく言う言葉があります。「これ、まだ習ってないよ」というのです。

それに対して、私はこう答えます。

「キミの人生、これから先ずっと習っていないことだらけだよ」

算数脳は、「人生を切り拓いていく力」のことだと思うのです。

小3までに育てたい「算数脳」

「算数脳」は「イメージ力」

さて、ここまで算数全般に関わる話をしてきました。

それでは具体的にはどういう力があることをもって「算数脳」が「ある」というのか、具体例を挙げながら考えていきたいと思います。

そこで、難関校と言われる各学校の出題傾向を探ってみることにしましょう。

難関と言われる学校で好んで出題される分野として、「場合の数」「立体」「整数問題」の三つがあります。ちなみに、高校受験、大学受験での数学を見ても、「確率」「立体」「整数問題」の三つは難関校に出題されることの多い分野です。

まず、「場合の数」というのは、いわゆる順列・組合せに関する問題です。具体的な問題を見た方がわかりやすいと思いますので、次に例題を示します。

力任せに全ての組合せを書き出して個数を数えるといった解決方法もありますが、入試では、たいてい通用しません。「センスのよい基準設定力」と「くまなく見渡すイメージ力」こそが勝負のカギになります。

問題はサイコロの出方、席の座り方、カードの並べ方、道順など無数にありますが、まず考えを進めるための、基準の設定の仕方で大きく差がつきます。そして、あるところまで考えたとしても、「本当にそれ以上はない」ということを、見切ることができるかどうかで、決定的な能力の違いを試されることになります。

問題 1 下の図のPからQまで行く、最短のルートは何通りありますか。

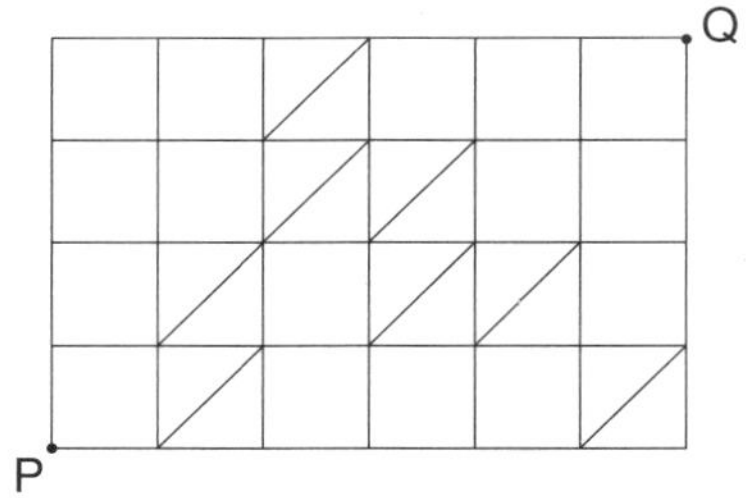

（花まる学習会オリジナル）

問題2

図1のような位置に、ある立体が置かれています。
4つの方角から見た図を参考に、
立体の見取図を書きなさい。

図1

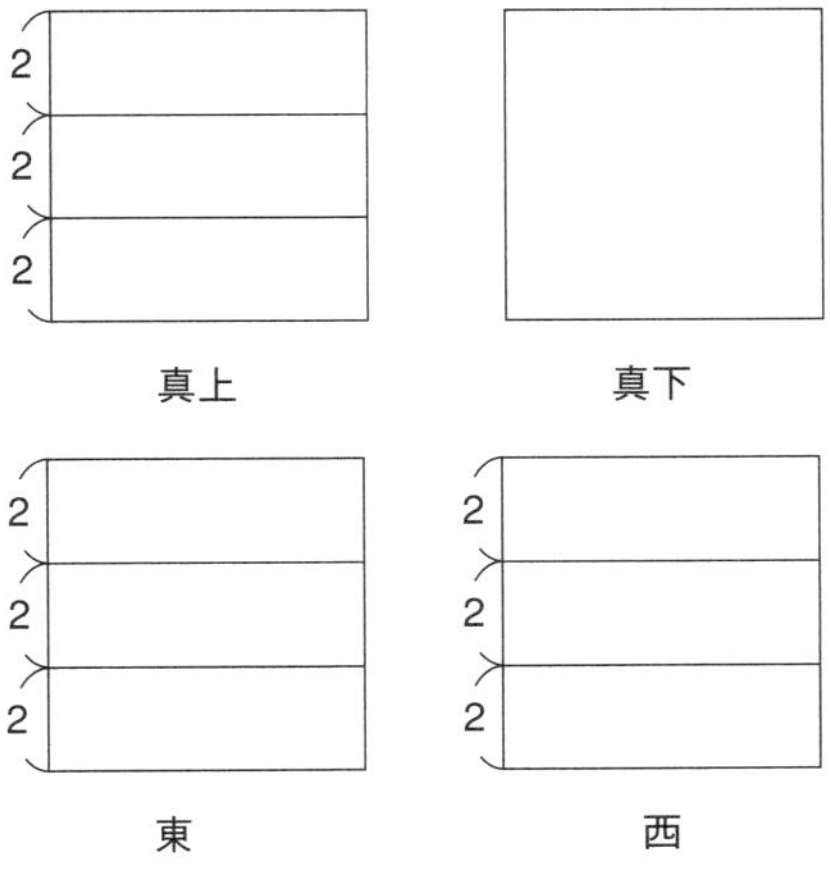

（花まる学習会オリジナル）

「立体」は、その名の通り立体図形を用いた問題です。表面積や体積を求めるといったものがオーソドックスですが、体積を求めるといっても、単純に「底面積×高さ」という公式に当てはめさえすればよいような問題は出題されません。まず、もとになる立体自体が、立体を切ってできる立体であったり、立体同士を組み合わせてできるものであったりバリエーションが豊富です。また、一つの立体を上下左右前後などの各方向から見た図（投影図）を示してもとの立体を考えさせ、その上で問うような問題も、能力そのものを問うという意味で、厳しい問題です。

これも57ページに例題を示しています。考えてみてください。

最後に「整数問題」ですが、整数といっても、例えば三桁×三桁の計算が速くできるというような作業力とは、全く異なる力を問われます。比喩的に言えば「数でできた『知恵の輪』が解けますか」というような世界で、算数・数学好きにとっては、これ以上フルーティというか、「おいしい」作品がある分野はないというくらい、面白い問題群です。

偶数か奇数かということへの感性に始まり、素因数・約数・倍数・桁数・余りの数・一の位の数の特徴などなど、数のさまざまな特徴に対する普段の観察眼や感度が問われます。難しい公式など必要ないところが、奥深さにもつながっていて、上位校ほど好んで出題します。純粋に頭のよさだけを見たい出題者に回ったら、やはり私も、「立体」「場合の数」

問題 3　次の□にふさわしい数字を入れなさい。

「平成元年（昭和64年）は西暦1989年である。
昭和の時代には、西暦の年数が昭和の年数で割り切れる年は
□回あった。」

（灘中学校）

と、この「整数」を出すだろうと思います。

さて、「場合の数」「立体」「整数問題」と三種類の問題をご覧いただいてきたわけですが、どのジャンルの問題であっても、最終的な回答を導くための計算式自体は、さほど複雑でないことに気付かれた方が多いと思います。実際の入試問題を見ても、きちっとした式さえ立っていれば、作業力としての「計算」は平均的な力で十分です。つまり、ごく当たり前以上の計算能力は要求されていないのです。

「立体」は、紙の上に二次元的に書かれた見取り図や展開図から、文字通り「立体」をイメージすることができるかを試しています。頭の中の空間に、厚みもあり高さもある立体を、どこまでリアルに描ききることができるかが問われています。

その一方で、概念そのものである「数」を、どれだけリアルにイメージできるかを調べようとするのが「整数問題」です。

これらの問題が求めるもの。それは、見える力（イメージ力）

です。

見える力とは、現実に目に見えた形で表現されていない部分や、隅の隅までを思考で補って見渡すことのできる力のことを指しています。

つまり、見える力とは思考力そのもの、本体の部分であり、まさにその能力の有無やレベルを測りたいがために、各中学校は算数を出題するのです。

そしてまた、全く同じ理由で、算数が最終的には苦手な子たちがぶち当たる壁も、ここにあります。五年生の一学期に、その子どもが算数の世界の「勝ち組」になるか「負け組」になるかは、その子の中に、どれだけの見える力が育まれてきたかが決め手になるわけです。

冒頭に挙げた子どもたちのケースを思い出してください。じっと考え込んだまま、問題に手も足も出せず固まってしまったA君。計算式を立てることのできないBさん。補助線が引けないCさん。彼らはみんな、この、見える力という見えない壁、越えられない壁の前で立ち往生してしまった子どもたちなのです。

では、見える力とは何でしょうか。

これまで二十年間子どもたちを指導し、研究してきた結論として、私は「見える力」には四つの要素があると考えています。それらは、お互いに深く関連しあいながら、それぞれに独立したひとつひとつの能力です。

一方、見える力さえあればいいかというと話は別で、その能力を活かして「やり遂げる」ことの力が求められます。

私はこれを「詰める力」と呼んでいるのですが、これもまた大別して四つの視点から語ることができます。

この「見える力」と「詰める力」について、詳しく説明しましょう。

〈問題１の解答〉

角々に数値を書いていくことで解答を出すという、型にはまった受験技術では、突破できない問題です。

「場合の数」の最大ポイントは、基準設定力。この場合、「ななめルートが２回」が最短ルートの条件と発見した上で、「どのななめルートを組み合わせるか」が考えの基準となります。

A—C	４通り	B—C	８通り
A—D	１通り	B—D	２通り
A—E	６通り	B—F	６通り
A—F	６通り		
A—G	３通り	計	36通り

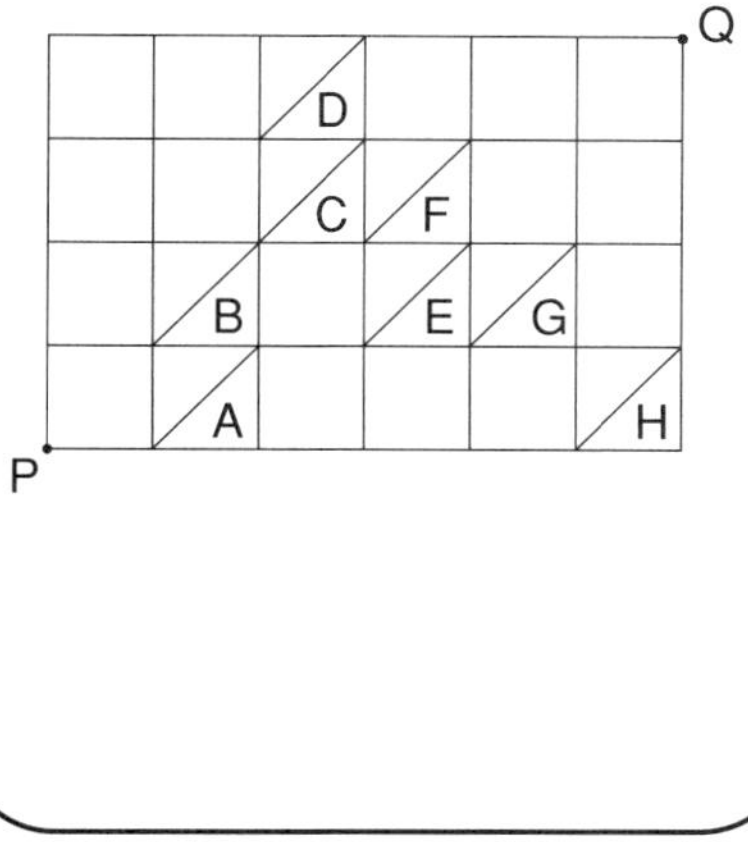

〈問題 2 の解答〉

答えは何通りも考えられますが、
まず立体のイメージを頭に浮かべられるかという点で、厳しい選別にさらされます。
次に、それらしく見えるように書く能力も問われるのですが、
各図の点線で示したような座標軸を描くことで、
少し楽に描けることが分かると思います。試してみてください。

【解答例1】

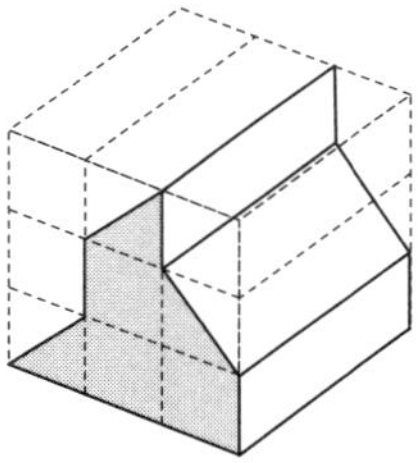

【解答例2】

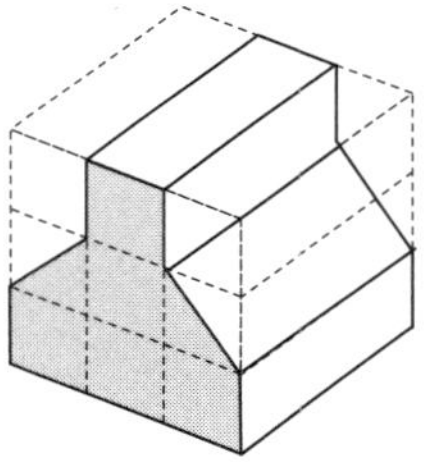

【解答例3】

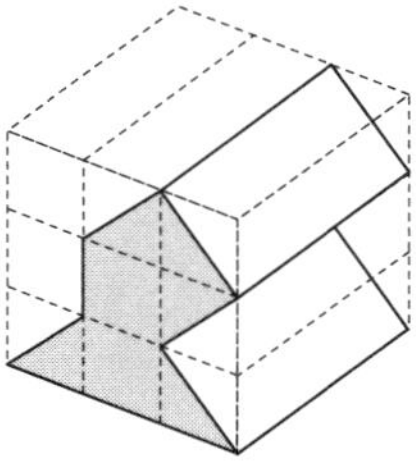

〈問題 3 の解答〉

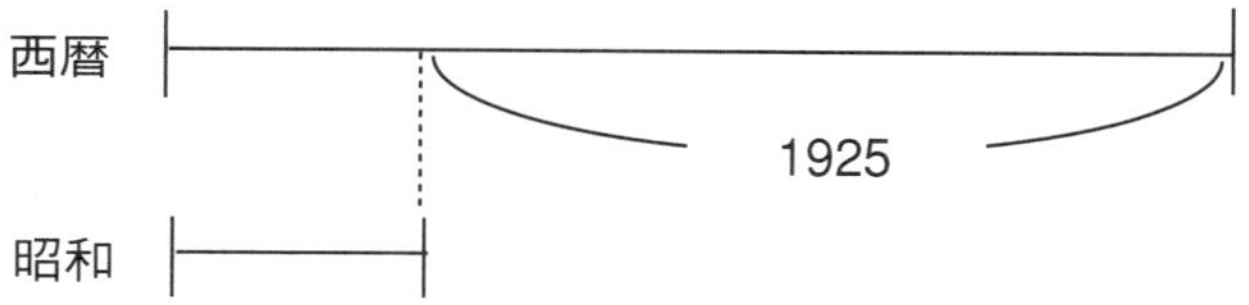

上のように図を描いてみると、昭和何年だとしても西暦との差はつねに「1925」ということがわかります。
つまり、この問題は、「1925の約数のうち、64以下のものの個数を求めよ」という整数の基本問題に言い換えられるのです。
そのような約数は1・5・7・11・25・35・55の7つです。

答え　7

見える力（イメージ力）とは

【見える力・その1　図形センス】補助線が見えますか？

図形を使った問題は、得意不得意が非常にくっきりと分かれているジャンルです。この本を読まれているお父さんやお母さんの中にも、「他はともかく図形だけは苦手だった」という方がいるかもしれません。

図形を使った問題は、問題として提示されている図形のままでは決してできないように作られているのが普通です。そこで自分で補助線を入れる必要が生じるわけですが、これがなかなかうまくいきません。

一方、図形が得意という子の場合は、最初から何のためらいもなく正しい位置に補助線を引きます。何本もお試しの線を入れてみようなどとは思いもよりません。

なぜでしょうか？

彼らには、鉛筆で線を入れる前から補助線が見えているからです。

言い換えれば、そこに線があってもなくても、補助線で分けられた後の、解答を導き出すために必要な図形そのものが見えているわけです。

たとえばどういうことかを理解していただくために、下記に例題を用意しました。どの中学の教科書にも載っている基本的な証明問題ですが、試してみてください。

学生時代はできたと思うけれど、今となっては図形の定理など忘れてしまってよくわからない、という方もいらっしゃるかもしれません。

解けたかどうかはさておき、図形センスのある子どもの頭の中では、こういった問題がどのように処理されているかの例を67ページに図解で示しました。

この問題を証明するための決定打となる補助線が出てくるのは六場面目になりますが、

問題4

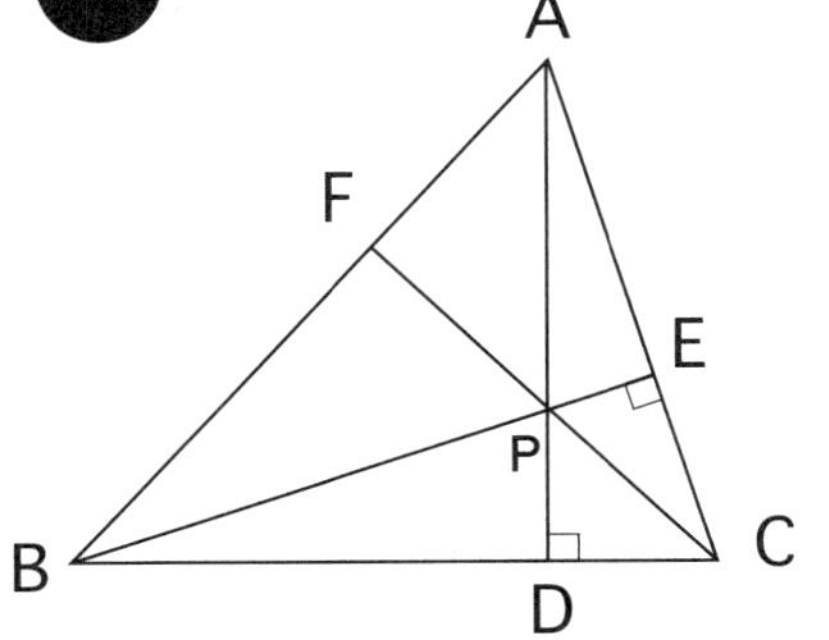

AB⊥CFを証明せよ。

その補助線を導き出す前提として、二場面目や五場面目に現れる円が見えていることが必要になります。と言っても、こんな円は問題用紙に描かれていませんから、これも一種の補助線と言っていいと思います。

さらに、それ以前に、矢印で示した角や、網伏せしてある部分的な図形、こういったものが、ごく自然に浮き立って見えるようでなければいけません。

つまりこれが、図形センスという能力の、ひとつの現れであると捉えることができます。

図形センスのある子というのは、ほとんどみんなそうやって見ていると思いますが、定理を習っただけで、選択的に見なくてはいけない図形が浮き立って見え、必要な補助線が見えるものです。逆に言えば、問題に描かれていない図形をこのように選択的に見ることができるからこそ、図形問題を、見ただけでチャッチャッチャッとこなすことができるのです。

一方で、図形が苦手な子というのは、紙に描いてある図形を漠然と見ているだけになってしまいます。学校や塾で勉強するにしても、教える側が一方的に「円に内接するから」と描いて見せてあげることにならざるを得ません。

しかし、こういった円なり必要な図形なりが浮き立って見えるから証明に入れるというのが本来の筋なのです。この、最初のステップを踏んでいないところで説明されても、「あ

〈問題４の解答〉

∠PDC＝∠CEP＝90° より、４点P,D,C,Eがひとつの円周上にあることがわかります。よって、∠PCE＝∠PDEということがわかります。……①
つぎに∠AEB＝∠ADB＝90° より、4点A,B,D,Eがひとつの円周上にあることがわかります。よって、∠PDE（∠ADE）＝∠ABEということがわかります。……②
これらによって、∠PCE＝∠ABE、すなわち∠FCE＝∠FBE（円周角が等しい）が言え（③）、4点F,B,C,Eはひとつの円周上にあり、それによって∠BFC＝∠BEC＝90°というように証明できていくのです。

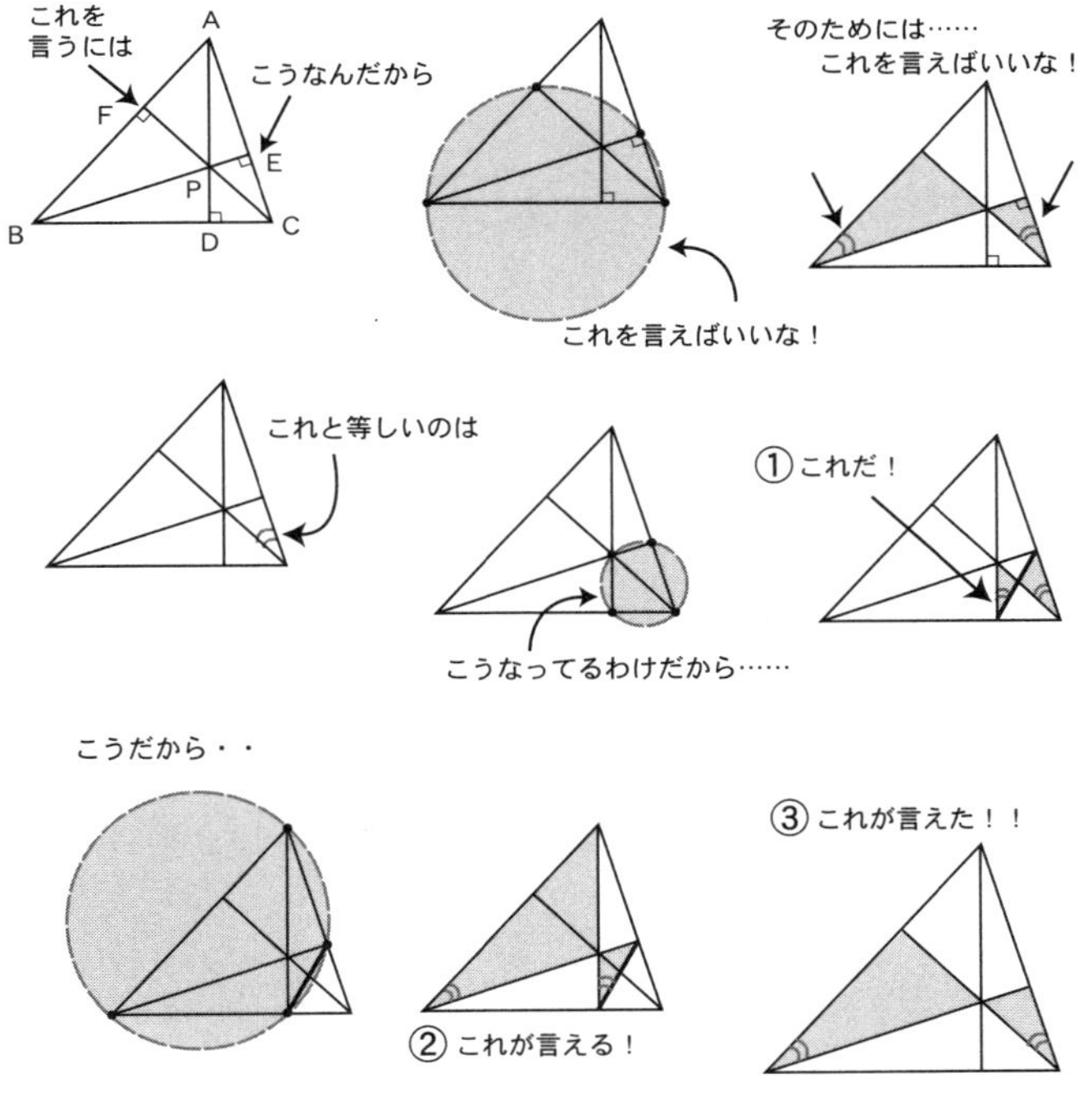

これを言うには
A
こうなんだから
F
E
P
B
D
C
これを言えばいいな！
そのためには……
これを言えばいいな！
これと等しいのは
①これだ！
こうなってるわけだから……
こうだから・・
②これが言える！
③これが言えた！！

図形センスのある子どもは、もともとの問題にない線を、ありありとイメージすることができます。彼らの頭の中の「目」は、この問題をほぼ瞬時に上図のように見て、やすやすと解答を導き出すことができます。

あ、そうなんですか」と思うだけで、次にできるようになるかというと、できません。問題をいくつ解いたとしても、同じような問題に当たっては同じような解答を見せられるだけという繰り返しから抜け出すことは、決してできないのです。

●ポイント● 図形センスがある子とない子はここが違う！

ひとつの図形を見たときに、選択的にまずこれとこれが見えて、次にこれとこれが見えて……という見方ができる。

【見える力・その2　空間認識力】見えないサイコロを転がせますか？

図形に関しては、もうひとつ絶対に欠くことのできない能力があります。それは、「空間認識の力」です。

小学校のお受験から、中学入試、高校・大学入試、果ては入社試験や国家公務員試験に至るまで、この能力を問う問題がなくなったことはありません。と言うより、むしろ常に中心に位置しています。

たとえば、小学校の入試問題では積み木の山が描かれた問題がよく出題されます。正面から見た図を頼りに、陰に隠れている積み木をイメージして積み木の総数を数えさせるような問題を見たことがないでしょうか。また、日常生活の中にある品物を上下・左右・斜めなどの方向から見た図を示してもともとの品物を答えさせるような問題や、絵を示して鏡像を考えさせるような問題も好んで出題されています。

中学入試で特に難しいとされるような問題群、すなわち、立体の断面・投影・展開の形を自由に駆使して解ききらなければならないような問題も、空間認識の能力を試しています。

なぜこの能力を問う問題が試験で出題されるかというと、これは、ドリルやペーパーではなかなか伸ばせない力だからです。

塾教材やドリル漬けで身に付けた、付け焼き刃の「〇〇式」的な型にはまった問題しか解けないような子には、できれば来て欲しくない。できれば、後伸びする「素頭」の優れた子に来て欲しい。……学校にせよ、企業にせよ、そのような意図をもったときに、空間認識を問う問題が出題されます。立体の問題ほど、その目的に添うものはないからです。

空間認識とは、つまりは「イメージ力」そのものです。

ですから、立体問題が得意な子は、たいてい他の問題も軽いノリで解ききることができます。しかし、5年生になってからではひとつの能力として固まってしまい、後から伸びることの期待できない力でもあるのです。

次のページに、実際の中学入試問題を示しました。ヒントを先に言っておくと、見取り図が描けるかどうかがこの問題の成否の分かれ道です。

では、ちょっと考えてみてください。

問題 5

とても大きなねん土のかたまりがあります。
そのねん土の上の面は平らで水平になっています。
図のような円すいの形をした積み木を
ねん土の上の面から押しこんで、
それを真上にぬいて穴をつくり、
そこに水を入れようと思います。
円すいの底面がねん土の上の面と垂直であるまま、
ねん土を真横から見たとき、
ちょうど積み木が見えなくなるくらいまで
押しこんで穴をつくりました。
そこに入る水の量はいくらですか。

(ただし円周率は3.14とします。)

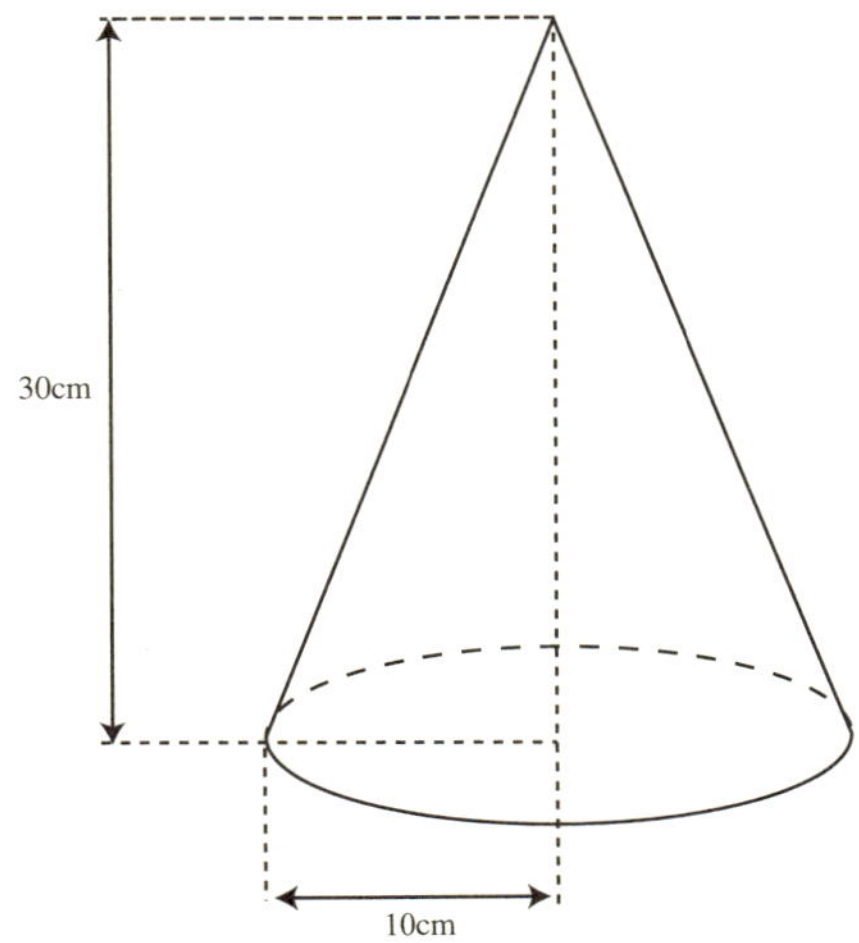

(桜陰中学校)

いかがだったでしょうか。

次のページに解答の例を載せていますのでご覧ください。

一番上に示したのが、粘土に積み木を押しこんでできた穴の見取り図です。これさえ描ければ計算自体は大したことはありませんが、実際には、この図のような正しい見取り図が描ける子は非常に限られています。

まず、この問題は、問題文の中に、求めるべき容積に直結する図がありません。

「とても大きなねん土のかたまり」「上の面は平らで水平」「積み木を押しこんで、それを真上にぬいて」「底面がねん土の上の面と垂直であるまま」といった言葉と、唯一示されている積み木の図を頼りに、この問題のシチュエーションではどんなことが起こっているのか、それをはっきりイメージできなければ解けないような仕組みになっています。つまり、この問題は、解答者の空間認識力そのものを直接測っている問題なのです。

そして、次に、見取り図を描くということ自体が実は慣れないと難しいという問題があります。

見取り図は、大まかな思考の段階で常に必要になるアイテムです。立体の難問となると、紙上であれこれ見取り図を描いて試行錯誤して実験してみなければ解けません。見取り図が描けるということは、立体を平面化させることができるということなのです。

（問題５の解答例）

この問題は、粘土に積み木を押し込んでできた穴の「見取り図」が見えるか見えないかが、問題を解けるか解けないかの分かれ道です。

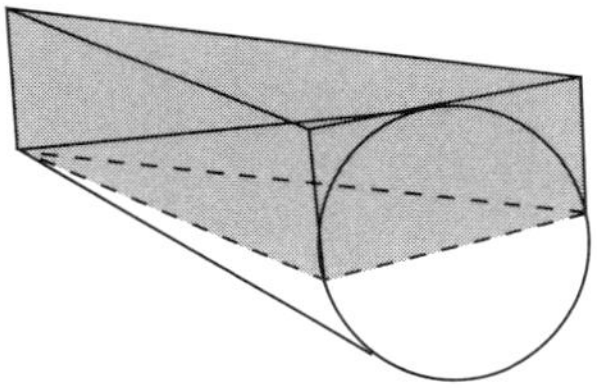

これが積み木を粘土に押し込んでできた穴の見取り図です。この図を描けるかどうかがすべてです。上部は三角柱、下部は円錐の半分です。

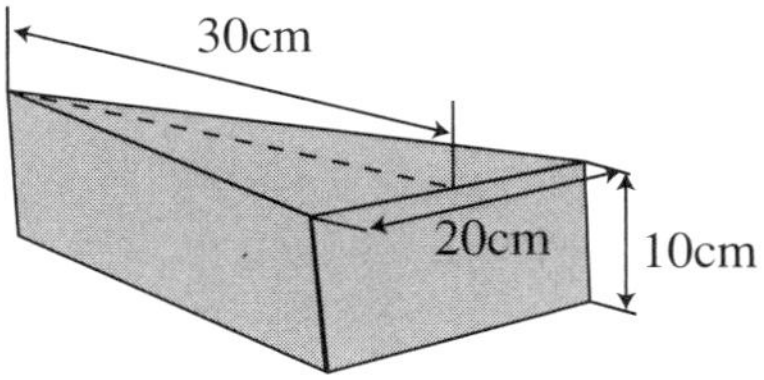

三角柱と円錐の、それぞれの体積を求めていきます。

＋

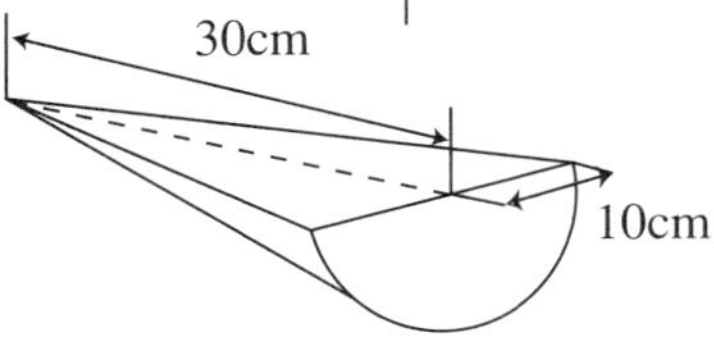

20×30×1/2×10＋10×10×3.14×30×1/3×1/2
=3000＋1570
=4570

答え．4570cm^3

つまり、見取り図自体が正確に描けないで歪んだ図形になってしまう子は、問題の全体像そのものが見えないので、突破もひらめきも訪れないことになります。

ちなみに、立体の問題は、どんなに難しい問題であっても、発想の切り口は基本的に次の四種類しかありません。「見取り図」「断面図」「投影図」「展開図」の四つです。

今回の問題では見取り図が描けるか否かが重大なキーポイントとなっていますが、入試問題を解くという意味で使用頻度が高いのは「断面図」と「投影図」の二つです。特に、「断面図」は人間の認知の上で最難関の課題のひとつです。

空間認識力のある子は、ペーパー上で二次元的に描かれた立体を見て、あるいは先程の問題のように言葉で説明されているのを読んで、手で触れるような3Dの立体を頭の中にイメージすることができます。実際に印刷されているのは、やたらにたくさん線が描かれた透視図か、立体を平らに開いた展開図ですが、彼らが脳の中で見ているのは、厚みもあれば高さもある、現実的な物体です。

それを辺の部分で切りひらけば展開図になります。補助線を入れたら立体はケーキのように切り分けられ、独立したいくつかの立体に分けられます。彼らは、頭の中でその一つを手にとって、サイコロを転がすように、自由にくるくる回すこともできるし、立体の中に入り込んで内側から外を見ることさえできるのです。

この能力をもたずに成長してきてしまった子たちは、力不足なりにベストの解法を見つけ出すための「発想法」を習得して対応していくことになりますが、それこそバーチャルな体験としてしか立体を見ることができませんから、とにかく何パターンもこなしていかなければ本当のイメージ力がある子に追いつきません。そして、それでも全く新しい問題にぶつかった時には非常に苦労することになるのです。

●ポイント● 空間認識力のある子とない子はここが違う！

紙の上に描かれた立体を頭の中でくるくる回したり、好きなところで自由に切ったりして、正確な投影図や断面図を描くことができる。

【見える力・その3　試行錯誤能力】じぃっと考え込んでいませんか？

試行錯誤能力とは、読んで字の如く、あれこれ試す能力のことです。冒頭に登場してもらったA君のところでも多少説明をしていますが、試す力は非常に大切です。単なる試行錯誤なら、日常的に誰でもしていることだと思います。夕食の買い物を近所のAスーパーで済ませるか、掘り出し物のあるB店まで行ってみるか、といったことでも試行錯誤は有り得るでしょう。ですが、思考力という観点から見た試行錯誤能力では、手を動かして考えているか、という部分が重要なポイントとなります。

算数・数学のできる子は、問題を読むが早いか、もう、手が動いています。図を描いたり、表を作ったり、さまざまな数を代入して計算してみたり。「手は体の外に出た脳である」という言葉がありますが、その子の頭脳が問題に反応してハイスピードで回転していることが、手の動きから伺えます。

算数の学習、特に文章題を解こうとする場面において、図を描くという作業は、問題文を理解し、解決の糸口を探し出す方法を探るために非常に重要な活動です。途中の式の大切さは、しばしば語られてきているのでご存じのことと思いますが、実際には、式そのも

問題6 次の問題の□にふさわしい数字を入れなさい。

「小数第２位以下のない数がある。
この数の小数部分を四捨五入してから７倍した数は、
この数を７倍してから小数部分を四捨五入した数よりも
２だけ大きくなるという。
もとの数の小数部分の数字は□である。

（灘中学校）

のを立てる前の、試行錯誤の段階こそが大切なのです。

図を描くためには、個数であったり分量であったり割合であったりする数字を、線や図形といったボリュームに置き換えてあげるような頭の働き方が必要ですが、なにしろまずその図のイメージが、頭の中に見えなければなりません。文章題を、図を描いて解くためには、数という概念に対するはっきりしたイメージをもっていることが大切なのです。

市販されている問題集を見ると、解答のページに丁寧な図解付きの解答例が載っています。塾に行けば問題文の類型別に図の描き方を教えてくれます。図形問題と違って、眺めていれば文章題が図形化されて見えてくるというものではありませんから、テクニックを習得することで解決できる部分があるのが救いです。

ところが、それで全員が図を描けるようになるかというと、これが不思議とそういうものでもないわけで

〈問題６〉の解答

この問題は、手を動かして実験してみることが大切です。
「小数部分を四捨五入してから７倍」という作業をＡ、
そして「７倍してから、小数部分を四捨五入」という作業をＢ
とします。例えば5.2で実験すると、

Ａ：5.2（四捨五入）→５（７倍）→35
Ｂ：5.2（７倍）→36.4（四捨五入）→36

同様にいくつか試していると、
「もとの数の整数部は影響していない。
小数部だけ考えればよい」ということに気づきます。
表で考えると、以下の通りです。

	0.1	0.2	0.3	0.4	0.5	0.6	0.7	0.8	0.9
A	0	0	0	0	7	7	7	7	7
B	1	1	2	3	4	4	5	6	6

答え　７

す。

算数や数学の苦手な子を観察していると、共通して図を描くという作業をしません。わかりません、と言ってきた問題を図解して解説してあげれば、なるほどと納得するし、図にする必要性も心底から痛感しています。当然、問題を解こうという意欲はきちんともっているし、誠実に考えてもいます。それなのに、次の問題の前では、やっぱり手が止まってしまいます。見せてもらった図は見えるけれど、自力で自分の頭に、その図が浮かばないのです。

図を描くことだけでなく、数を代入してみたり、表を作ってみたりする活動も、彼らは決してしようとしません。要するに、問題に対してアクションを起こすことを一切せずに、ただただじいっと問題文を見つめたまま沈み込んでいるのです。

そうしてみると、手を動かして考える力の背景には、イメージ力という能力の他にもうひとつ、一種の人生観というか、生活に対する構えのようなものが関わっているのではないかと、私は感じています。

観察していると、ユーモアのセンスがあるような子は図を描くのが得意な場合が多いように思います。いわゆるイタズラ坊主のような子も、案外得意です。「やっちゃえ！」という勢いのある子、自分の方から仕掛けてやろうという感覚をもっている子が強いのだと思います。その一方で、小さいときからドリルやペーパーで鍛えてきた優等生タイプの子に限って、手が動かなくなってしまうのは興味深い現象です。

小さい子どもが積み木遊びをしているのを見ていると、長い時間をかけて作った作品を出来上がった途端に壊してしまうことがありますね。大人の目から見るともったいないようですが、当の本人は、喜々として次の制作に取りかかっています。

試行錯誤ができる力は、この、積み木遊びをしている子どもの力の延長線上にあるのです。しかし、作っては壊し、壊しては作ることのできる幼児の力は、泉のごとく湧き出る好奇心そのもので、誰かに教えられて身に付いたのではないのです。

●ポイント●　試行錯誤力のある子とない子はここが違う！

「考える」＝「同時に手も動かす」習慣がある。

図・絵・表を描きながら考えることができる。

【見える力・その4　発見力】外せない枠を外せますか？

見える力の四つ目は、発見力です。

入試問題を見ても、一番いいオリジナルな問題というのは、まず間違いなく、ここの能力を試してきます。東大の入試でもそうですし、中学入試でもそうです。こういうことが思い浮かびますか、と問いかけています。

図形センス的な「見えちゃう力」に対して言うと、これは「思い付いちゃう」という力なのですが、この「思い付いちゃう」というのは、いったいどうして思い付いちゃうのかというメカニズムのところは、正直なところ、今はまだよくわかりません。私なりに追いかけている大きなテーマの一つです。

けれども、「思い付く」ということ自体は日常の中でひんぱんに起こっていることですし、誰でも経験のあることだと思います。

ゲームとしても人気がありますね。頭の体操というジャンルのゲームです。マッチ棒をいくつか動かして図形を反転させるとか、テレビでもときどきやっていますが、普通はこうだ、という思考の枠を外して考えることが必要になります。

問題 7

このケーキは、真上から見ると図のような正五角形で、
点線の部分にもようが描かれています。
中央の 5 本の曲線に囲まれた、黒く塗った部分の、
周囲の長さはどれだけでしょう。
点線はすべてのケーキの頂点を中心にして描いた
半径12cmの円周の一部です。
円周率を3.14として計算してください。

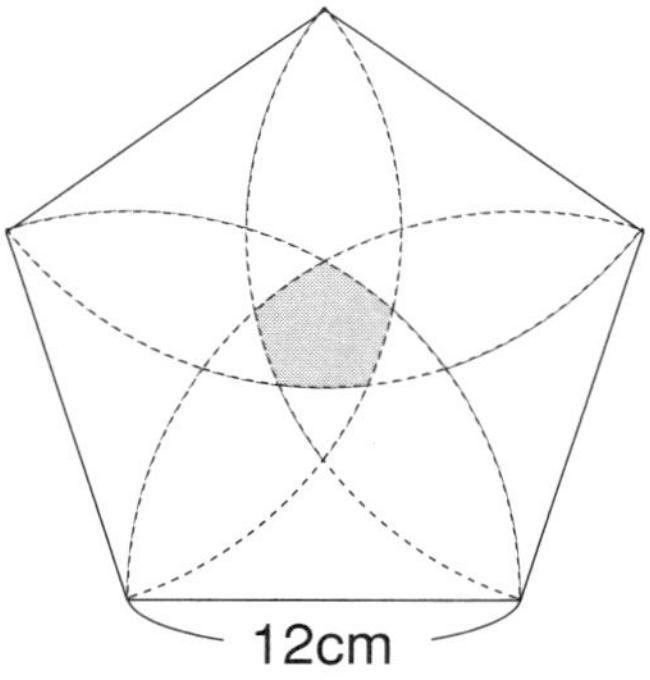

（算数オリンピック　第 3 回予選より）

発見力というのは、当然、発想力という力と連動してある能力だと思うのですが、他に近いものを考えるとしたら、音楽や笑いのセンスがそれに当たるように思います。

アマデウスという映画がありました。かなり評判になったのでご覧になった方も多いと思いますが、天才作曲家モーツァルトの生涯を描いた映画です。

あの映画の中に登場するモーツァルトの姿は、おそらく実際もあのようであっただろうと思わせるリアルな演出でしたが、けたけた笑いながら次々に奇矯な振る舞いをする様子は、世間で言う「天才」のイメージを大きく覆すものでした。

けたけた笑いながら奇矯な振る舞いをするのはお笑いの芸人さんたちも同じですが、なぜ私たちがそれを見て笑ってしまうのかというと、私たちが日頃「こうである」と思いこんでいる枠組や、潜在的に感じているけれど意識にまではのぼらせていないことを表現されるからだと思います。

実は、これこそが数学のできるタイプのひとつの典型的な姿です。

数学の得意な人というのは常に柔軟で、常に新しいものを作っていく力があります。それが発見力です。まさに、イメージ力の集大成と言うべき力です。

アマデウスに対するサリエリではありませんが、ドリル漬け方式で勉強してきた子は、発見力を問う問題にぶつかると、まるで手も足も出ません。基礎を真似して、繰り返し基

〈問題７〉の解説

この問題は、△ＡＤＣと△ＥＤＢ、２つの正三角形を発見できますか？　という問題です。

∠ＥＤＣ＝108°（正五角形の１つの内角）

∠ＡＤＣ＝∠ＢＤＥ＝60°（正三角形の１つの内角）

より、∠ＡＤＢ＝60°＋60°－108°＝12°

よって弧ＡＢの長さは$12 \times 2 \times 3.14 \times \frac{12}{360}$（cm）

求める長さは、その５倍なので

$12 \times 2 \times 3.14 \times \frac{12}{360} \times 5 = 12.56$

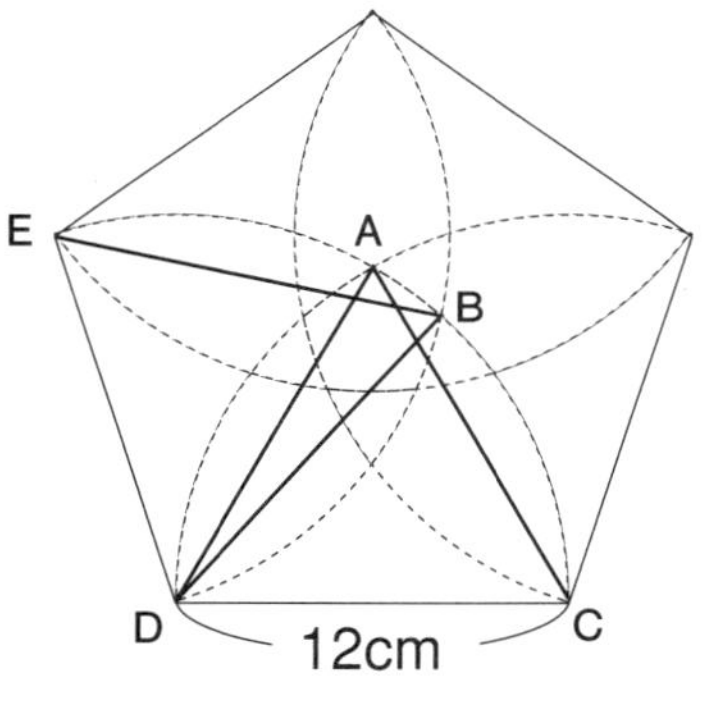

答え　12.56cm

本を理解していく中で、発想する型を身に付けるところまでは行くのですが、その先がどうしても伸びない。思い付かない子は徹底して思い付けません。

結局、彼らの言い分は「こんなの習ってないからできないよ」ということなのですが、思い付く子というのは、どういうわけだか思い付いてしまうのです。そんなの思い浮かぶわけがないよ、といくら言われても思い浮かんでしまうのです。

●ポイント● 発見力のある子とない子はここが違う！

既成の枠を外した思考ができる。

習っていないことについても、自分なりの解決方法を見つけて解いていくことができる。

ユーモアセンスがある。

詰める力とは

【詰める力・その1　論理性】知らん顔してスジを違えていませんか？

弁護士になるには理系でないと難しいなどと言いますが、算数・数学において論理性が重要であることを疑う人はいないと思います。

論理性とは、脳の体質のようなものかもしれません。論理の筋は、補助線のように目に見える線の形では現れてきませんが、内側にそれをもっている人にとって、論理的な整合性があるか否かは、定規で引いた線のようにくっきりと感じられるものです。

小学校段階に限って言うと、算数で必要とされる論理性は、ごく普通レベルのものであれば問題ありません。

「AはBより重く、BはCより重い」という条件が与えられれば、特に説明されなくても「AはCより重い」ことがわかりますね。ごく普通の論理性というのは、この程度のことを指しています。

そんなのわかって当然だという声が聞こえてきそうですが、この程度の論理でも破綻してしまう子がたくさんいるのが現実です。

論理性というのは、先程の試行錯誤能力と違って、どちらかと言えばトレーニングによって鍛え得る力です。しかし、論

問題 8

向かい合う面の数字の和がどれも７になるサイコロは、実際にはつぎの２通りしかありません。

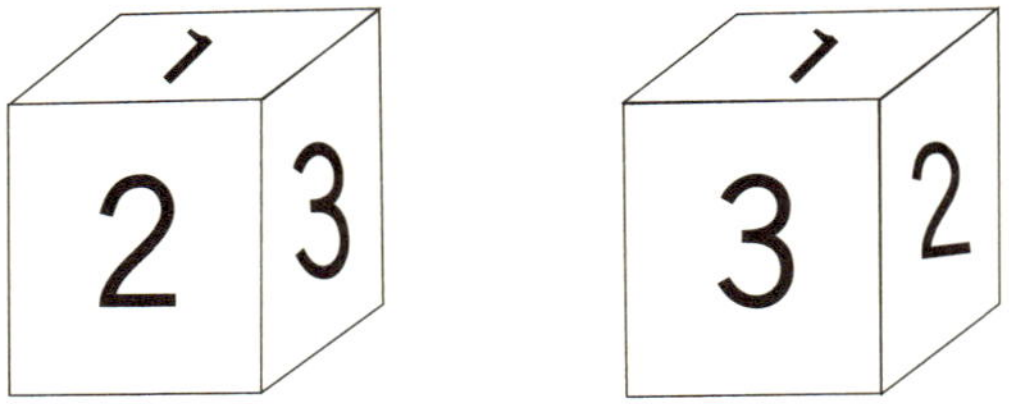

では、向かい合う面の数字の和がどれも７にならないサイコロを作ろうとすると、全部で何通りできますか。
答えだけでなく、求め方も書きなさい。
ただし、面の数字は１から６まで１つずつとします。

（算数オリンピック第13回ファイナル問題）

理性には大きな罠があって、いったん破綻していることが平気という価値観を身に付けてしまうと、これはもう修復が効きません。

論理的展開に問題をもっているのは、実は子どもだけではありません。たとえば、こんな話し方をすることはありませんか。

条件1「Aさんの家は夏休みにハワイに行った」
条件2「Bさんの家は最近テレビを買い換えた」
結論「だから、どこへも行かず、新しい買い物もしていない我が家は不幸だ」

感情の部分では非常に理解するものがないわけではありませんが、論理としては、まるで筋が通っていませんね。

子どもの場合はどんな具合かと言いますと、たとえば、最初に挙げた「AはBより重く、BはCより重い」という条件に対して、「AはDより重い」という結論に飛びついてしまうような事態が起こります。

Dは新出の要素ですから、新たに検分しなければ他の要素との軽重は、「わからない」というのが正解です。そこで、AはDより重いと答えた子に理由を聞いてみると、「Aは一番重いんだからDより重い」と答えて、平然としていたりするのです。そう言いたくなる気持ちはわからないでもないですが、論理としては、まるで筋が通っていません。

〈問題８〉の解説

「論理性の柱」は、「必ず決まる条件（必要条件）をおさえること」と、「決まらなければ場合分けして考えること」の２つです。

「１と６」「２と５」「３と４」は向かい合わないのですから、「必ず隣り合った面に存在する」ことがいえます。（必要条件）

そこで [1|6] [2|5] [3|4] という３つのピースでサイコロを組み立てることを考えます。

[1|6] を固定して考えると、

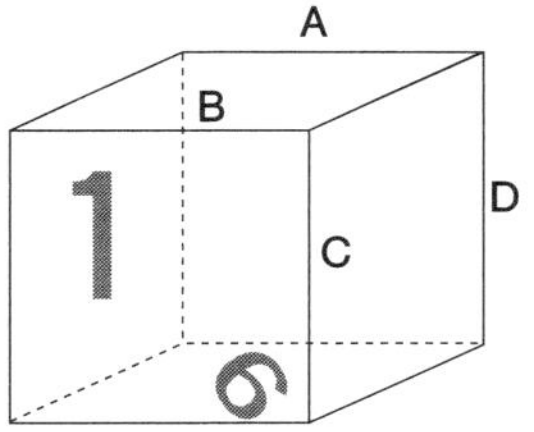

[2|5] の置き方は、辺ＡＢＣＤのどこかに置く場合で４通り、

それぞれの場合に [2|5] [5|2] の２通りの置き方があります。

そのそれぞれについて [3|4] の置き方も２通り。

よって、４×２×２＝16

答え　16通り

こういう子どもの家庭を見ると、必ずお母さんが先程の例のような話し方をしています。論理性はトレーニングによって鍛えられる能力ですが、子どもたちのトレーニングの場として最大のものは、家庭です。つまり、論理性とは家庭文化というＤＮＡから引き継がれる体質であり、他人には容易に触れることのできない領域にある能力なのです。

●ポイント●　論理性のある子とない子はここが違う！

論理の整合性に敏感である。

ただ一か所でも破綻することを許さない考え方が習慣になっている。

【詰める力・その2　要約力】出題者の気持ち、わかりますか？

「要約力」と言うと国語の話をしているようですが、これも、算数・数学で大切な能力のひとつです。

でも、まず国語で言う要約力の方から話を始めましょう。

国語の長文読解で使われる文章は、大きく分けて論説文と物語文の二種類があります。文章の要約は、しばしばテストにも出題されますが、論説文であれば必ず「○○は××だ」という形に言い換えて集約することができます。もう一種類の物語文はどうかと言うと、こちらは必ず「○○が××した物語」と要約することができます。

ところが、国語力のない子は自分の感想を書いてしまいます。本文を眺め、適当によさそうな感じのする言葉を抜き出して適当につなぎ合わせた回答を作ってきます。形ばかりは「○○は××だ」と納めてみせている子でも、なぜ××だと思ったの？　と聞いてみると、書いた本人もよくわかっていなかったりします。本質的な理解からは、ほど遠いとしか言いようがありません。

算数や数学で必要な要約力も、国語と同じです。

問題９

円周を等分します。その等分点から３点を選び、
その３点を頂点とする三角形を考えます。
次の（１）、（２）に答えなさい。
ただし、回転したり、うら返ししたりして重なるものは
同じ形とします。
（１）円周を７等分したとき、どんな三角形ができますか。
それらの中で形の異なるものを、すべて下のらんの
円の中に描きなさい。
（２）円周を12等分したとき、
形の異なる三角形は何種類できますか。

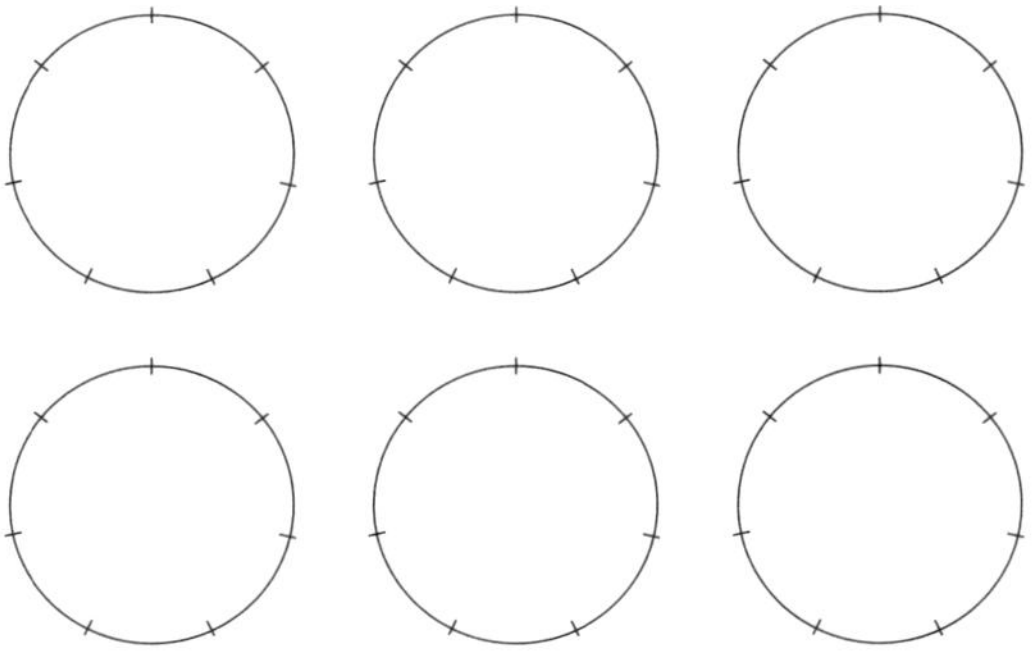

（麻布中学校）

要約力のない子は、問題文の中から適当な数字を拾い上げ、知っている公式に当てはめただけの答案を作ってきます。単純な問題であれば問題文に出てくる数字の数が限られていますから、それでも何となく正解を導き出すことができるかもしれません。でも、問題が複雑になってくると、どれがアタリの数字なのかよくわからないから、ヤマカンか何かで的はずれな数字を持ち出してきて、無理矢理公式にはめ込んでしまいます。本質的な理解からはほど遠いという点では、国語とまったく同じ問題が起こっているわけです。

要約力とは、「結局のところ、相手が言いたいことは何なのか」という視点をもつ、ということです。もっと平たく言うと、相手の言いたいことがわかる能力、と表現してもいいと思います。

たとえば、試験問題というのは、出題者と解答者の対話です。出題者は出題者なりに頭を絞って、ここを見てやろう、これがわかるか測ってやろうと思いながら問題を出してきます。それなのに解答者側が問題からボンヤリと数字だけ抜き出して足したり引いたりしているのでは、全然会話が成り立たないわけです。逆に、出題意図がわかっただけで解けてしまう問題というのはたくさんあります。

一般に考えさせる問題というのは、そこにカギが入ったときカチッと開く焦点があって、そのカギが見つかったときに「わかった!」というカタルシスをもたらすものです。そし

〈問題９〉の解説

（１）は、ある程度力ずくでも解ける問題です。

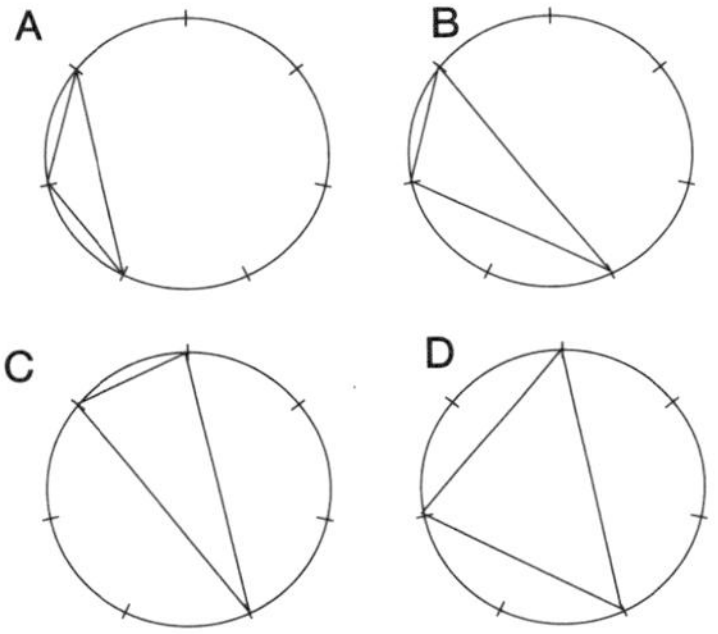

　ここで自然な流れとして、ある発見が生まれます。

これは「７という数を３つの自然数に区分けする場合の数」と同じであるということです。

上の図は、A（１、１、５）、B（１、２、４）、C（１、３、３）、D（２、２、３）となります。

　ここで出題者の言いたいことは明確になります。

「要するに（１）を誘導として、『図形なんだけど整数を３つの数に区分けする問題として、読み替えられますか』と言いたいんだな」ということなのです。

（２）は（１、１、10）（２、２、８）（３、３、６）（４、４、４）
（１、２、９）（２、３、７）（３、４、５）

（１、３、８）（２、４、６）

（１、４、７）（２、５、５）

（１、５、６）


の12通りとなります。

てカギは「出題者のやらせたいことがわかった」ということに他なりません。いわゆるできる子は、そこがしっかり分かってくれる子で、指導に対しても「あ、そういうことね」と強い反応を示してくれる子です。

ある問題があったときに、出題者＝作者は何を言いたいのか、どこにポイントを置いているのかという大枠をつかんで、初めて何算で解くかという手段・技術の選択があるのです。けれども、要約力のない子は、そこを、パターンの暗記や単純計算のような機械的作業だけで処理したがります。作者のねらいを理解しようという柔軟な姿勢がもてないから、持ち合わせの中の、どの手段をとればいいのかが判断できずに苦労することになるのです。冒頭のAさんが発した、「これ足し算？　それとも引き算？」のような問いが怖いのは、このような思考停止の病が典型的に表現されているからです。

では、相手の言いたいことがわかるために大事なことは何でしょうか。

そうです。「聞くこと」です。相手の言葉に集中して耳を傾け、相手の考えの流れに沿って、一緒に考えるような聞き方が必要です。

幼稚園の入園試験で、「今日はどうやって来ましたか」と質問された方は多いと思います。このときに、「今日はー、朝起きてー、それからパンを食べてー、お洋服に着替えてー、パパとママと一緒におうちを出てー……」なんて答えていてはダメですね。「バスで来ました」

とか、「歩いてきました」とか、聞かれたことに正確に答えられなくてはいけません。これが要約力の最初の芽なのです。

いままで多くの子どもたちを見てきた経験から言うと、幼稚園の入園試験で「今日はー、朝起きてー」方式で答えたタイプの子は、大きくなった後も、やはり国語や算数で苦労しているケースが多いように思えます。

なるほどな、と感じるのは、そういう子の家庭を見ると、決まって基本的な会話が成り立っていないということです。

子どもが「今日は○○ちゃんと遊んで楽しかったの」と言っているのに、お母さんはテレビに目をやったまま「早く手を洗いなさい」なんて答えています。お母さん同士の会話でも、「ていうかー」などと言いながら、お互い自分の話ばかりしています。家族全員がテレビに向かって横向きに並んでいるという姿を通して、会話や交流のない家庭を皮肉に表現した映画がありましたが、社会全体に蔓延しているこの問題をよく表現していたと思います。これでは子どもが相手の話をきちんと聞けなくても仕方ありません。

要約力というのは、コミュニケーションの能力です。それは家庭の作った形通りの芽を出し、出た芽の通りに成長します。植物と同じで、芽が出た後から他の形に伸ばすことは不可能なのです。

●ポイント● 要約力のある子とない子はここが違う！

相手の話をきちんと聞いて、質問されたことに正確に答えられる。

「要するに何を言いたいか」をいつも意識している。

相手の言いたいことのカギを探すという視点をもっていて、的はずれにならない。

【詰める力・その3　精読力】本を読んでいるのに文章題ができないって？

文章題ができない、という相談をよく受けます。

相談には、典型的なものとして二つのタイプがあります。

ひとつは、「文章題ができないのは、やはり本を読まないからでしょうか」というもので、もうひとつは、「本をたくさん読んでいるのに、どうして文章題ができないのでしょうか」というものです。

つまり、本をたくさん読める力、というのがお母さん方の頭の中で漠然とイメージされていると思うのですが、ここにまず根本的な誤解があります。

本をたくさん読むことや読書が好きなことと、文章題が解けることとは、ほとんど関係ありません。

本ばかり読んでいる文系風の子が文章題で苦労している横で、全然本なんか読まない、外で走り回ったりボールを投げたりしてばかりいる体育会系の子がラクラクと文章題を解いている、なんていうのはよくあることです。

問題10

２地点Ａ、Ｂは1200m離れていて、まっすぐに道で結ばれています。
つよし君とひろし君はＡ地点を同時に出発し、
この道のＡ、Ｂの間を休まずにくり返し往復します。
ただし、ひろし君はいつも同じ速さで歩き、
つよし君はＡからＢへはひろし君と同じ速さで歩き、
ＢからＡへはそれより速い一定の速さで走ることにします。
出発してから、ひろし君が３往復を終えてＡにたどり着いたときに
ちょうどつよし君に後ろから追いつかれました。
また、それまでにひろし君はつよし君に
１回だけ後ろから追い抜かれたといいます。

（１）ひろし君が３往復する間につよし君は何往復しましたか。
（２）上の図はひろし君が出発してから３往復するまでの時間と
位置の関係を表したグラフです。
図につよし君の出発してからの時間と位置の関係を
表すグラフを書き込みなさい。
（３）ひろし君とつよし君が出発してから５回目にすれちがうのは、
Ａ地点から何m離れたところですか。

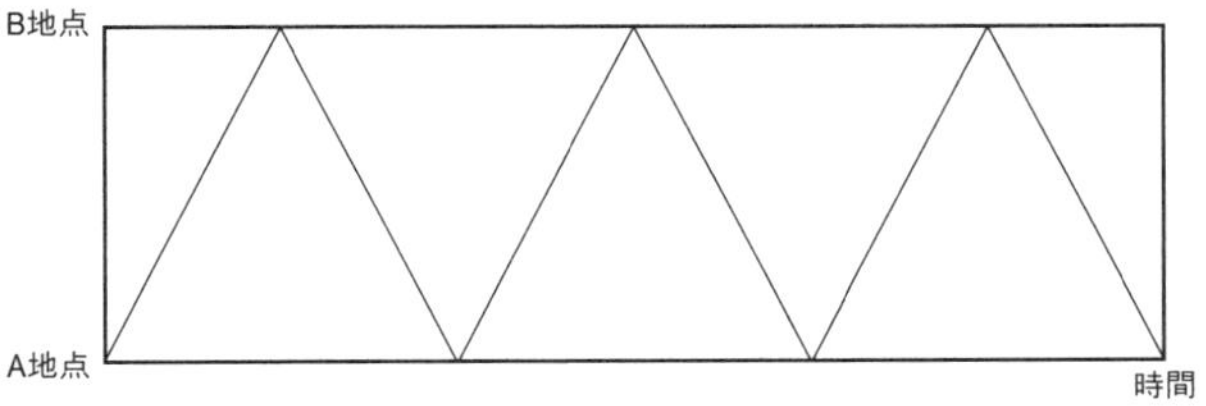

（開成中学校）

文章題が解けない理由はただひとつ、精読ができない、これだけです。

精読力とは何かと言うと、一字一句を絶対読み落とさないという集中力です。

これは、音読をさせてみるとすぐわかるのですが、同じ文章を何人かの子どもに読ませてみると、文章題が苦手な子というのは、もう見事なくらい読み落としをします。「てにをは」の間違いだったり、勝手読みと言うか、だいたいこんなことが書いてあるんだろうという思いこみから来る語尾の読み間違いだったり、単語そのものの読み間違いだったりと、間違え方にバリエーションはありますが、必ず読み落とします。その上、同じ文章を読んだ子ども同士の読み間違えた数を比較すると、これが恐ろしいほど偏差値に反比例しているのです。

という話をすると、お母さん方がお家に帰って一番最初にすることは、我が子に「ちゃんと読みなさい!」と叱咤激励することなんですが、残念ながら、「ちゃんと読みなさい」で読むようになった子は一人もいません。

たとえば、野球だって、近所の友だちが遊びに来て草野球で軽くバットを振っているのと、高校野球の球児たちが甲子園を目指してバットを振るのでは、集中力がまるで違いますね。そもそもの構えが違います。それを体で知らなければ、草野球が高校野球に進化することはできません。

〈問題10〉の解説

この程度の問題文量だと、精読しきれない子が多く出ます。

「ひろしがつよしに１回追い抜かれ、最後にちょうど追いつかれた」のですから、要は「つよしは２往復分多く歩いた」と読みとることができるかどうかが、勝負です。

３往復と５往復の最小公倍数15に、往復も考慮して横軸に30の目盛りをつけると、分かりやすくなります。「ひろしの片道」と「つよしのＡ→Ｂ」は５目盛分、「つよしのＢ→Ａ」は１目盛分とわかります。

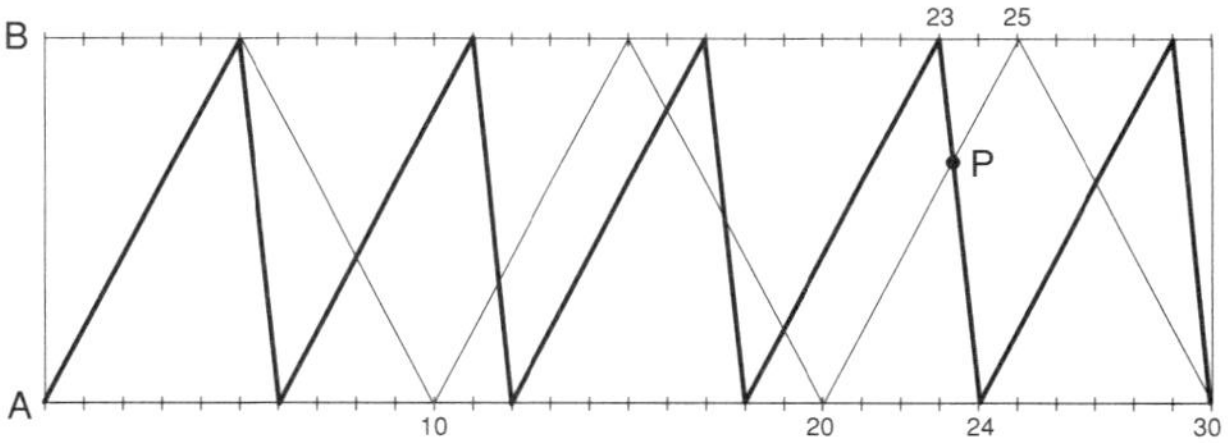

答え
（１）５往復
（２）太線の通り
（３）Ｐのところだから、

上下の三角形の相似より

$1200\times\frac{2}{3}=800$m

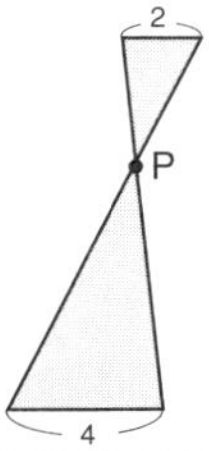

読むことに関しても同じです。精読力のない子は、だらだら読むことが読むことだと思っています。だから、「ちゃんと読みなさい」といくら言われても、「ちゃんと読んでるよ」と思うだけで、何度でも読み落としをすることになります。作業としての計算がいくらできたとしても、問題文に「両側に」と書いてあるのを読み落として最後に2倍するのをしなかったら、半分の数字しか答えることができません。鉛筆の本数を聞かれているのに答えが分数や小数になってしまったらおかしいということに、気付きません。そういう間違え方に対して、単なるケアレスミスのように軽く考えられる方がいますが、その子にしてみれば常習なのです。そもそも本物の構えがどういうものか、がわかっていないから、いつまで経っても同じ失敗を繰り返します。

言葉というものは、その言葉そのものの意味のほかに、付随した情報を含んでいます。「両側」には「同じものが二つある」という情報、「鉛筆の本数」には「プラスの整数である」という情報が入っています。これを、一度でひとつ残らずイメージしつくしてすくい取り、ひとつも漏らさないような読み方が「精読」であり、それができる集中力を「精読力」と言うのです。

しかし、集中力というものは、幼児期を逃してしまうと、あとは生死がかかるような大事件でも起きない限り、なかなか育てるのは難しい能力です。

今の日本という社会では、そんなに集中しなくても生活できてしまうからです。大学も底抜けのところがたくさんあるし、何かしらポジションを与えてもらえるから平気で生きていけます。人間はすぐに楽な方へ流れたがる傾向がありますから、一度ぬくぬくだらだらする癖がついてしまったら、よほどのことがない限り戻れません。そういった全体のムードが子どもたちの力を奪っていることは疑念の余地がないでしょう。

だからこそ、小さいうちに集中力の構えを身に付けさせなくてはならないのです。

●ポイント●　精読力のある子とない子はここが違う！

読み落としや読み違いをせずに音読できる。

一字一句読み落とさない、集中した読み方を体得している。

【詰める力・その4　意志の力・執念】

かつて、複数の塾の勉強会の場で「成績が伸びる子と伸びない子」の違いを各人一言ずつ言え、というお題が出たことがあります。

私は、もちろん「見える力」と答えました。算数や数学を専門とする者として、見えない部分までありありと想像できる力の有無が、最後に差になる力であることはここまで述べてきた通りです。

しかし、そのとき、尊敬する先輩の答えは「しつこさ」でした。

本当に納得するまで食い下がり、自分で解くことに対するこだわるしつこさがあるなら多少の頭の良さなど凌駕する、という説明に非常に感銘を受けました。

それで思い出したエピソードがあります。

某大学で行われた、教育心理学の研究会でのことです。その日は、私が発表をする順番に当たっていました。

私は、低学年生に対し、単なる計算や文字の学習や訓練をするのではなく、このような思考力教材を楽しみながら解いています、と私の主宰する学習会で使っている、パズル形

問題11

下の図のＡＢＣＤＥの５つのお皿には、
それぞれいくつかのキャンデーが乗っています。
このうちの１皿を取るか、
つながった２つ以上のお皿を取ることによって
（例えばＡとＢ、ＤとＥとＡなど）、お皿の上のキャンデーで、
１から21までのすべての個数を作ることができます。
それぞれのお皿に乗っているキャンデーの個数を求めなさい。

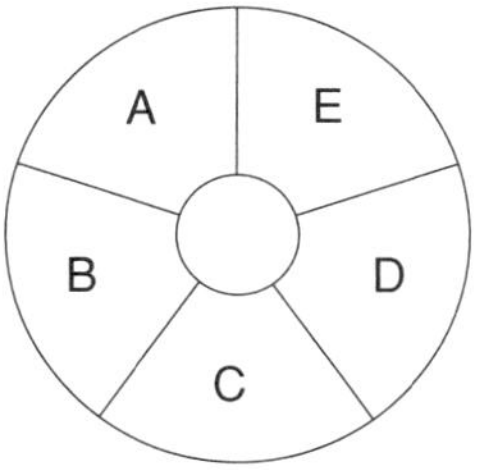

（算数オリンピック　第４回予選より）

式のペーパーの例題をいくつか配布し、現物を見てもらいながら、そのねらいと進め方を説明することにしていました。

聴衆席にいるのは、大学の教授陣を始め、テレビや雑誌などでよく名前を見かける評論家、進学高校や国公立中学の先生方。学生は学生で、その学科に進むために二年生の進学振り分けで最高ランクの得点を取って進学してきたような学生諸君。みんな、数学に関しては腕に覚えのあるよう

な猛者ばかりです。

ところが、話し始めてみると、みんな私の説明なんかそっちのけでペーパーに夢中になっているではありませんか。

反応が悪いなあと思いながら二十分ほどで発表を終え、次の方に迷惑をかけてもいけないので、「では、今配った問題の解答を言います」と言った途端、事件は起こりました。ペーパーにのめり込んでいたほとんどの人が、今度は一斉に顔を上げて叫んだのです。

「やめてくださいッ！」

なにもそんな、数学を極めているような頭脳が低学年向けのパズルにムキになる必要なんかないのです。

でも、やりだしたらやめられない。給料にも名誉にも関係なくても構わない。自分で答えを出さなかったら面白くない。どんな小さいパズルだろうと、他人に答えを言われるくらいだったら、もう何もいらないのです。

しかし、だからこそこの人達は、ここまで登りつめてこられたのだな、と、私はつくづく思いました。

見える力を中心とした能力以上に、最後の最後に差になる力は、この「意志の力・執念」

〈問題11〉の解説

論理性の柱は、「必ず決まる条件（必要条件）をおさえること」と、「決まらなければ場合分けして考えること」の２つです。

まず、皿の取り方を考えると、１皿…５通り、２皿…５通り、３皿…５通り、４皿…５通り、５皿…１通り、合計21通りしかありません。１～21のすべての個数を取れることから、「どの個数でもただ１通りの取り方しかできない」「総和は21個である」という必要条件が導き出せます。

あとは、忍耐を要する「場合分け」の番ですが、フローチャートのみ示します。

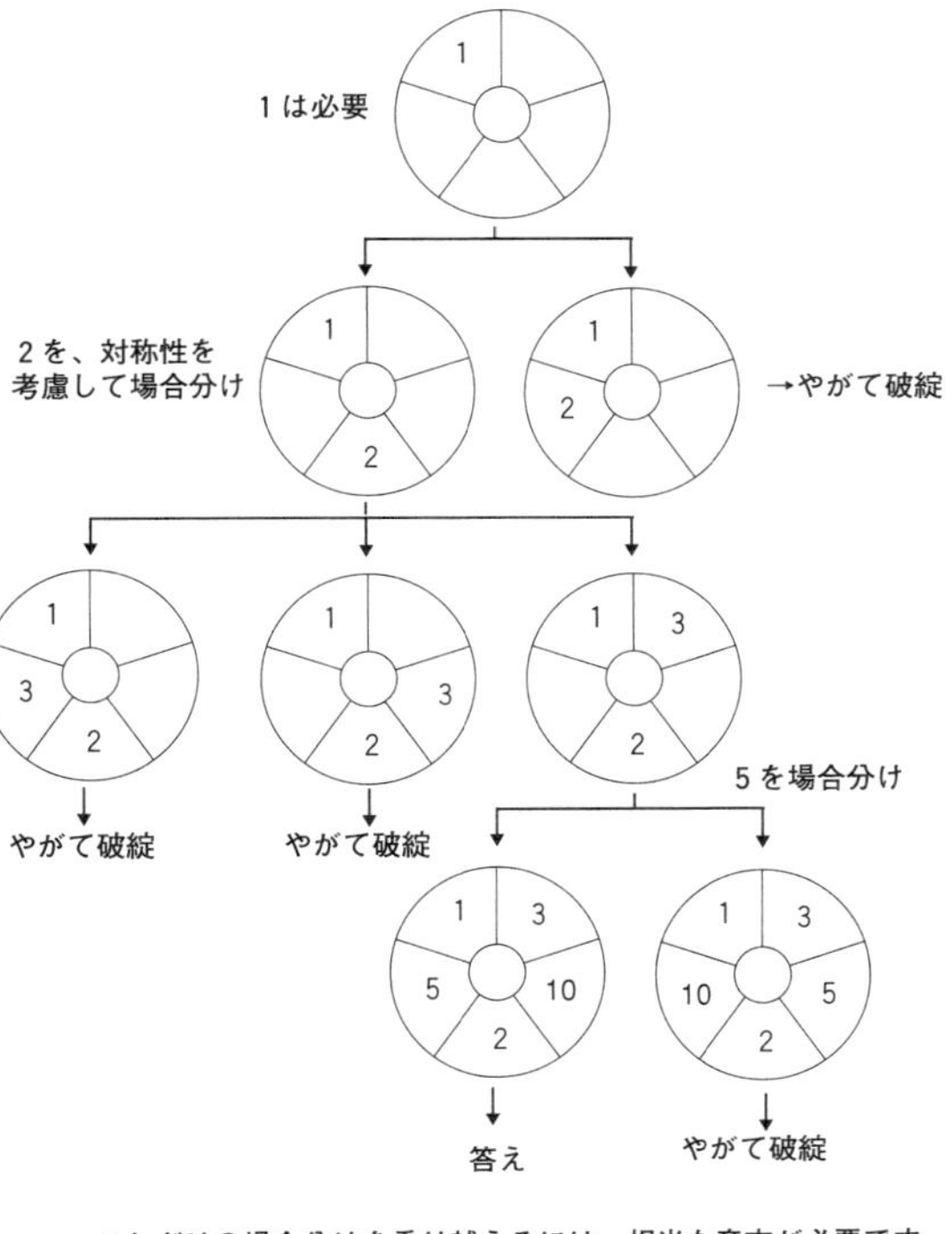

これだけの場合分けを乗り越えるには、相当な意志が必要です。

にあります。

それは、「絶対に自力で解きたい」という心の構えです。こだわって、ひとつの漏れも破綻もなく、とことん追いつめていく力です。

努力は天才に優ると言いますし、その通りですが、なぜ人が努力できるかと言うと、そこに、その人なりのやりがいや、明確な価値観が見出せるからだと思います。

一問のパズルにこだわった彼らは、みんな、難問のカギを見つけて自分で解決するという思考の醍醐味を、成長過程のどこかで味わってきた人ばかりなのです。

「自分で考えて、考え抜いて、とうとう発見することって、本当に楽しい！」

この実感をもたずに思考力だけ伸ばしていくことは不可能です。「馬を水辺に連れて行くことはできても、水を飲ませることはできない」と言われている通り、子ども自身の中に「自分で考えたい」、「最後までやりとげたい」という強い意識がなければ、遺伝子がどんなにすぐれた頭脳であろうと、算数・数学という思考の海に飛び込んでいくことはありません。算数や数学に限らず、子どもたちに、将来、自分の夢を追い、実現させる人生を歩ませたいと思ったら、「自分でやる」、「最後までやりとげる」という意志を子どもたちの中に根付かせる必要があります。意志力のある子であれば、多少の苦難などものともせずに楽しんで乗り越えていくことができるはずです。

しかし、この、最後の最後に差になる意志の力が身に付くかどうかも、やはりまた、人生で最初の九年間の過ごし方にかかっています。私たち大人は、どうやってこの醍醐味を子どもたちに伝えていくかに、もっと心を配らなくてはならないと思います。

●ポイント● 意志の力がある子はここが違う！

悔し泣きするくらい負けず嫌いである。
「どうしても自分で解きたい、自分で考えたい」と思っている。
やり遂げる喜びを知っている。

「見える力」と「詰める力」

ここまで、算数脳には二つの大切な力があるという話をしてきました。絶対的な差になる学力である「見える力」と、最後の最後に差になる力である「詰める力」です。

「見える力」というのは、図形の補助線がパッと見えるような力や、解法のアルゴリズムがパッと浮かぶような力に代表される力など、四つです。具体的には、

●図形センス
●空間把握力
●試行錯誤能力
●発見力

に分けることができます。

また、「詰める力」というのは、絶対に自力で解きたい、という意志の力などであることもお話ししました。以下の四項目です。

●論理性

●要約力
●精読力
●意志力

これは、前述の「見える力」とはまったく別の観点の能力であって、追いつめていく力です。こだわって、とことん執念深く、論理の破綻も矛盾もなく追いつめていく力です。入試ということを考えても、最難関校の試験では必ずこの能力を測ってきます。いい加減なところが少しでもあったら絶対解けないような問題で、精神力の強さを要求しているわけです。

この二つの力を子どもに与えたいと思ったら、それにはタイムリミットがあるということもお話ししました。何度も申し上げている通り、現場感覚では小3までが勝負です。また、これは学校でも塾でも教えることのできない力だという点についてもお話ししました。しかし、それ以上に、流行の○○式的な幼児教育や早期教育などでは決して身に付けられるものではないということを、ここでもう一度強調したいと思います。

幼児教育と言うと、どこかのお教室に集まって、先生が問題集などのペーパーを指導するという形のものが主流になると思います。

でも、たとえば見える力の最初に挙げた図形センスや空間認識力のようなものは、はっきり言って、問題集を何冊こなしても大して伸びません。教室で徹底的にやっている期間だけは多少いいかもしれませんが、すぐまた元に戻ってしまいます。発見力を伸ばすことも無理です。

詰める力についてはどうかと言うと、恐らくこれは、百害あって一利なし、というケースの方が多いと思います。一般的な幼児向きに作られたカリキュラムの中では、「考えて考えて、考え抜く」ような時間は取れません。やっていることが途中であっても、「はい、時間だからあとはお家でやってね」と、体よく中断させられる体験ばかりが増えていきます。

結局のところ、○○式的な幼児教育で伸びることが期待できる力は、計算が速いとか、幼稚園なのに漢字が書けるとか、そういった作業力に限定されていると言っていいと思います。

小さい子どもがスラスラと計算したり、漢字を書いたりしてみせれば、確かに親としては体面がいいかもしれません。周りのお友だちから一歩抜きん出たような錯覚に陥ることもあるでしょう。でも、それは時期が来れば誰でもできるようになることを、少しばかり早い時期にやってみせた、ということに過ぎません。幼稚園時代に少しばかり英単語を知っていたからと言って、大きくなってネイティブスピーカーになれるわけではありません。

巷でやっている幼児教育というのは、厳しい言い方をすれば、犬やアシカの曲芸と、内容的にはさして変わらないわけです。最後に差になる力とはまるで違います。

では、この大切な九年間をどうやって過ごせばいいのでしょうか。

その答えは、家庭と、遊びの中にありました。

花まるエッセイ④　走ると心が変わる

私の主宰する「花まる学習会」では、毎年夏に、子どもたちに大いに自然に触れてもらい、「見える力、詰める力」の基本を養ってもらおうと、泊まりがけでキャンプなどを行う「サマースクール」を企画しています。

川遊びにいもほり、魚つかみ、スイカ割り、キャンプファイヤーで歌って踊って花火大会、ホタル観察、夜の探検……。どのシーンを切り取っても子どもたちは躍動し、感動してくれています。親元を離れて少し寂しい気持ちを、みんなで支え合ってチームワークとフェアプレイを基軸に協力し合い、人間関係の力が短期間に伸びていくのを感じるのも毎年のことです。この仕事をやってきて本当によかったと、毎年感じさせてもらっています。

今も目をつむると、海岸で餌になる貝を潜って取ってきては釣りをするという作業に、一日中飽きもせず打ち興じる姿、曇り空で山の水は冷たく感じるのにもかかわらず、次から次へ滝つぼに「トリャー」と飛び込む姿……などなど、名場面がたくさん思い出されます。

A君という小学一年生がいました。指示行動に従えず、学校でも問題になっているとのことでした。あずかってみると確かにその通りで、危険とも隣り合わせの野外教室ですから、やむなくグループからはずして、私がもう一人の子と一緒に面倒を見ていました。

二人とも聞いた質問にまともに答えないし、ある意味で打つ手なく、皆がネーチャーゲームをするのを見守っていました。

と、ふいにアゲハチョウが現れ、二人の目の前を横切りました。すると二人は示し合わせたように追いかけ始め、二十メートルほど離れた大木のところまで行って駆け戻ってきました。

チャンス到来。「二人ともすごいね。今、二十三秒であの木まで行って戻ってきたよ。もう一度記録に挑戦してみようか、ヨーイドン！」

えっ？　という顔をしながらも、子どもたちは全力疾走をはじめます。

「うわあ、今度は二十一秒だよ。もう一回やる？」

子どもたちは大きくうなずきます。それから何度も何度も駆けっこを繰り返し、そのたびにどんどん彼らの表情が開かれていくのでした。完全とはいかないまでも、彼らがグループ行動に溶け込み始めたのは、それからのことです。子どもにとって「走ること」の力を、大いに感じさせられました。

A君は、次の年もサマースクールに参加したのですが、もう別人です。どのようにふるまうべきか体験として学んでいる彼は、一年生の後輩たちの手本となって行動をし、お楽しみ会でも主役として皆を笑わせてくれました。

一人の子どもの、このような成長を見ることも年間行事の大きな喜びのひとつ。次回は誰が、どんな姿を見せてくれるのか、いつも楽しみにしています。

花まるエッセイ⑤　子どもを成長させるもの

「出てくるな！」車の窓を全開にして大声で叫びました。サマースクールの一日、急な雨の到来で、外の予定が体育館に切り替えになり、離れたロッジの子たちを私の車でピストン輸送していたときのことです。

小さい頃から、ピカッと光ったら「いち・に・さん……」と、雷鳴までの秒数を数えて、落雷地点との距離を測る習慣が身に付いていて、今まさに間近に来ていることを感じていたので、ロッジから飛び出そうとする子たちを制したのでした。

こちらの気迫に押されて、あわてて室内に戻り、バタンとドアを閉めたのとほぼ同時に、五十メートルも離れていない電柱の上に、どーんという轟音とともに雷が落ちました。私自身、あんなに近くへの落雷を目撃したのは初めてでしたが、あらためて子どもたちの野外体験の少なさを感じさせる出来事でした。

同じように、あるサマースクールの、川遊びの帰りの支度で、靴に入った砂を洗い流したりしているときのことでした。

「風向きが変わる」と言いますが、まさに風向きが変わって夕立の気配を告げているのに、子どもたちはのったりと作業を続けています。

「おーい、急げ！　一気に降ってくるぞ！　走って戻るぞ！」という声を素直に聞いて走った子は間に合いましたが、そうでない子たちは結局ずぶ濡れになってしまいました。今回がまさに貴重な一回の機会とも言えるのですが、もっともっと「分厚い」外遊びの体験の時間をあげたいなあと感じました。

このように、子どもの成長を見届けることのできるサマースクールですが、サマースクールそのものも「成長」していて、ここ数年「好き嫌いの克服」というテーマも織り交ぜて行うようになってきました。

ある女性リーダーの発案で、嫌いなものをちょっと口にしただけでも、グループの子たちみんなで賞賛するという働きがけをしたところ、とてもいい効果があったとのことで、その次のサマースクールからは、全ての班で行ってみたのでした。

ほとんどの子どもが、嫌いな食べ物に挑戦しました。鼻をつまみながらあまり噛まずに丸飲みする子もいれば、二日目には「トマトっておいしいんだね」と、涙の出るようなコメントをする男の子もいたりと、レベルは様々ですが、日常の家庭の中では何日たっても変えられないことを、子どもだけの生活の中で、子ども同士の評価の目の中で暮らすことで、劇的に克服することができるのです。

このような力学はバカにしてはいけなくて、親が口酸っぱく何度言っても変わらないことが、たった一人の「先輩」の一言で変わることも珍しくありません。

一年生の女の子Gちゃんは、四月・五月とやる気が出ずに、イライラさせるような遅い作業でお母さんを困らせていました。ところが、六月の半ばから急に張り切りだし、「勉強って楽しいね」

と言い出したのです。

親も講師も最初気がつかなかったのですが、お母さんがあるときGちゃんに聞いてみたら、花まるの同じ時間に来ている三年生の「おねえちゃん」と呼ぶお友達から、「うわあ、Gちゃん字が上手だね」とほめられたからだったのだそうです。三年生だから他意もなく素直に思ったまま発言したのでしょうが、だからこそGちゃんの心をストレートに揺さぶったのだと思われます。

子どもは子ども同士の世界でこそ主体性を持って、自己変革し、成長することができるのです。だとすれば、そのような環境をどう設定してあげられるかということが大人の役割であり、地域が崩壊した現代での、知恵の絞りどころなのでしょう。

花まるエッセイ⑥　友達思い

小学校五年生のN君は、ただならぬ鉄道マニアです。鉄道というよりは乗り物全般が大好きで、豆粒のような上空の飛行機ですら機種が分かり、電車は駅名から路線名、車種名となんでもござれ。私の知っている乗り物博士の中でも、抜きん出ている存在です。

サマースクールの帰りの新幹線で、N君を含めた我々一団は最後尾に陣取り、すぐ後ろが車掌室でした。憧れの新幹線に乗って嬉しくなったN君は、車掌室の中がどうなっているのか知りたくて知りたくて、顔をベターッと窓にくっつけて覗き込み続けていました。すると、何度か検札に来ていた若い車掌さんが、三島駅で「秘密だよ」と言って、中に招き入れてくれたのです。

興奮した彼は、一人また一人と仲間を増やし、五年生のE君、四年生のK君、二年生のI君の計四人も中に入れてもらいました。その時点で報告を受けた私は、「情熱が道を開く。きっと普通は『入れてもらえないから』と可能性すら考えないであろうに。何かを大好きだという気持ちが人を動かすいい例だな」と思っていました。

さて、何度か車掌室に出入りさせていただき、「お礼状を書きますから」と住所まで聞いたりしているうちに、車掌さんは子どもたちをかわいいなと思ってくれたのでしょう、四人に特別に、新幹線の絵の入った定規をプレゼントしてくれたのです。すっかり舞い上がってしまった彼らは、片手に定規をかざし、雄叫びを上げながら、席に帰ってきました。

ところが、東京駅で新幹線を下りる段になって、事件が発生しました。K君が「定規がなくなった」と騒ぎ始めたのです。聞けば「この辺に置いといたんだけど」とのこと。ひとりっ子のK君は、昔からそこいらに必要なものを置きっぱなしにして、なくしたと頼ってくる癖があったので、これはいいチャンスだと思い、自分のものを管理できない点をむしろ叱責しました。とはいえかわいそうですから、短い時間ですが、皆で一生懸命手分けして捜しました。

しかし結局定規は見つからず、電車を下り、階段を下りるうちに、悔しさゆえか、とうとうK君が号泣してしまったのです。肩を揺すり、顔中涙だらけ。せっかく手に入れた宝物を、自分の不注意でなくしたのだから、当たり前とはいえ、大変哀れです。

そのときでした。K君の後ろにいたE君が、K君のリュックのサイドポケットをそうっと開けて、握りしめていた自分の定規を、ポイッと投げ込んだのです。そして、えっ、なにするのという顔の、回りの子どもを「いいから黙ってろ」と言わんばかりに目と手で制しました。

意味を理解したN君がすかさずK君に助言しました。「お前本当によく捜したのかよ。もう一度ここでよーく中を確かめてみろよ」。もちろん、定規は出てきました。

E君は、普段は決して優等生タイプではありません。ただ、スキースクールに行ったときに、滑れない私を皆が見捨てて楽しんでいるときに、「僕の後ろについてきなよ」と付き添ってくれたり、お風呂で背中を流してくれたり、今時珍しい暖かさと優しさを持った子だなとは思っていました。それでも、この一瞬の出来事には驚きました。悲しい気持ちになった友人のために、相手を傷つけない形で自分の宝物すら、さっと差し出したE君の姿。忘れられないいい思い出になりそうです。

九月になって、N君とその出来事を話題にしたときに、N君がE君のことをこう言いました。

「あいつは友達思いだからね」。友人からこのような評価をされるE君は、かけがえのない少年時代を、輝いて生きていると思います。

すべてを決める！　小3までの育て方・遊び方

すべての答えは「外遊び」にあった

夢中になって遊ぶ中で知性は育つ

ここまで、できる子とできない子の間で差がつく、いろいろな「力」があるという話をしてきました。学校でも塾でも教えられない部分、すなわち「イメージ力」に関する力というのは、幼児期が勝負で、九歳までにもてなかった能力は、一生身に付けることができないということを述べてきました。

それでは具体的にどう伸ばすかというところが大事なところで、生活術、学習術、いろいろな本も出ているようですが、まず根本的に、親が「これは学習である」という風に捉えてしまうと、子どもはもうついてきてくれません。生活の仕方、遊びの仕方、という風にとらえるべきだと考えています。

さて、知力を伸ばすという部分に焦点を絞るなら、何と言っても「遊び」が大事です。遊びと言っても、お教室でやるお遊戯ではなくて、子どもが自分から夢中になってのめり込むような遊び方のできる遊びです。もう、我を忘れて生き生きと無我夢中になって遊んでいる中で知性というのは伸びるのであって、それが遊びである、ということです。お勉強にしろ遊びにしろ、その名称がどちらであっても、子どもから見て強制感のあるものだとか、人の顔色を見ながらやるようなものでの伸びなんていうのはたかが知れています。

遊びの種類は、基本的にはどんな遊び方であっても効果があると思います。

たとえば、これは男の子に多い例ですが、電車マニアの子どもっていますね。新幹線の名前を全部言えるあたりから始まって、駅名を全部覚えて、時刻表が読めるようになってしまう。「ほんと好きなんですよ」なんて、お母さんはあきれています。

ちなみに、ほとんどのお母さん方は、そんなこと役に立たないと思っていますが、長い間見ていると、理系の人に共通するものがそこにあります。ある種の綿密さを伸ばしていくのに、こういうマニアックなものは悪くありません。いろいろな魅力がありますが、理系の方で詰めて頑張れる子に非常に共通したものです。電車に限らず、恐竜でも、きれいな石ころを集めているのでもいいと思います。かつての私の教え子の中には、消しゴムのカスを集めていた子もいました。親から見たら、ものすごくくだらなく思えるようなものでも、子どもにとっては自分から好きになったもので、とても大事なものなのです。止めたりバカにしたりしないでほしいと思います。

そして、やり尽くす体験をもつということが一番大切です。

適当なところでもうおしまい、ではなくて、ヘトヘトになるまで遊び尽くすことです。幼児の場合は、スパンとしては短いのですが、ある種のゆったりとした自分だけの時間でやり尽くした体験をもっている人というのは、社会で成功している人たちに非常に多いと感じます。労働時間が何時間かなんて関係ない、オレはやりたくてやっているんだ、と頑張れる人に共通していると思います。

その代わり、長期間に渡ってひとつのことだけに熱中する必要はありません。河原で光る石を見つけて、これは宝石かも知れない、と次から次へと石を拾い始める。大人には何の価値もありませんが、子どもには宝に見えています。明日になればもういらないかもしれないけれど、そのときは本気なんです。そういう熱中する時間をもつことが、総合的に学力全体に通じると考えています。

ただし、夢中になってさえいればコンピュータゲームでもいいかと言うと、それは違うというのが私の考えです。

ああいったゲーム類は、そもそも夢中になってのめり込むよう綿密に仕組まれています。

最近のものは画面もきれいですし、凝った仕掛けがたくさん詰め込まれて、大人でも夢中になる人がいるくらいですから、子どもは我を忘れ、放っておけば何時間でも遊び続けます。しかし、動いている部分は指先だけ、刺激を受けているのも脳の一部だけ。自分で工夫する余地などまるでなく、プログラムの設定の内側で飛んだり跳ねたりしているだけです。集中力という面ではいいのではないか、とゲーム世代のお父さん、お母さんから言われそうですけれど、では、パチンコは知力を伸ばすでしょうか?

ゲーム脳という現象が話題になったこともありましたし、統合力やバランスという面から考えても、ゲームはマイナスになる要因が大きすぎます。楽しいことはよくわかりますが、貴重な時間を暇つぶしに費やしているだけで、成長上は何のプラスもありません。

いちばんいいのは、なんと言っても外遊びです。自然の中で五感すべてを使って遊び尽くしてほしいと思います。物そのものにたっぷりと触れた経験こそ、泉がわき出るようなイメージ力を生み出すもとになるのです。

早起きし、泥んこになって遊び、ケンカをし、何かしでかしては叱られ、大声で歌い、みんなで笑い、クタクタになって帰ってきてお母さんの作ってくれたご飯をパクパク食べ、安らかな寝顔で眠りにつく。そんな生活をしている子にとっては、勉強くらい軽いものです。

外遊びには、子どもが伸びるために必要なものの、すべてが含まれているのです。

イメージ力は外遊びでこそ伸びる

イメージ力を測る問題を作ることはできても、伸ばす教材を作ることはできません。これは、遊びの中でしか伸ばすことができない能力です。

なぜかと言うと、イメージ力を育て、伸ばすものは、「実体験」だからです。体を通して堪能した経験だけが、現実には見えない部分まで、隅から隅までありありと想像できる知力となります。

実体験ということでは、モンテッソーリ的なパズル遊びがすぐ頭に浮かびますが、これは、知能を伸ばすのに確かに有効です。実際に物を使ってやる遊びは大事です。

たとえば、図形認識力・空間把握力を考えたとき、積み木遊びは多くのヒントを子どもたちに与えてくれます。付け加えれば、折り紙遊びや、あやとりといった遊びも、空間把握という上で非常に効果があって、私自身も勧めています。

しかし、外遊びにはすべてがあります。

たとえば、神社の森で缶蹴りやかくれんぼをしているとき、子どもたちは森全体を三次元的に思い浮かべています。

あの大きな松の木の後ろに太郎くんがいて、お堂のかげには花子ちゃんとユリちゃんがしゃがんでいるな。鬼は、むこうの土手の木の方に走っていったけれど、きっと方向転換して逆側からつかまえに来るぞ……。

木枝で鳴く鳥の声や、さっと通り過ぎる雲の高さ。子どもたちは全身を感覚器にして、体ごと空間を味わい尽くしています。

木登りもいい遊びです。

自然の法則に従って四方に伸ばされた枝を掴んでは体を引きよせ、足をかけ、上へ上へと登っていくとき。あるいはゆっくりと下りてくるとき。子どもの体には、着実に三次元というものが刻み込まれていきます。

大縄跳びもいいですし、秘密基地を作るのもいいと思います。名前のついた遊びじゃなくても、ただ穴を掘るだけでも楽しいし、走り回っているだけでもいいのです。四つのイメージ力の中でも後から伸ばすのが一番難しいのが「空間把握力」であることは前に述べた通りですが、これは、実はこういった実体験の積み重ねによってしか身に付けることのできない能力だからこそ、後から伸ばすことができないのです。

また、公園でサッカーや野球をしているとき。サッカーとは名ばかりで、ゴールは適当に木と木の間を区切っているので、幅も違えば高さも違いますが、それでも納得して遊んでいます。コートだって長方形じゃなくていい加減な形をしていますが、子どもは全然困りません。これはもうイマジネーションそのものです。

遊びを基盤ごと変えて、臨機応変に工夫して楽しむことも子どもは得意です。

いつもは4人で遊んでいるのに今日は5人になったら、さっとルールを変えて楽しく遊べます。遊んでいる間にも、子どもは楽しいことしかしませんから、つまらなくなってきたらすぐにルールを変えてしまいます。そのうち元のルールはどこかへ行ってしまって、自分たちだけのゲームをしてることもあります。ゲームそのものを創ってしまえる発想力や柔軟性、判断力。これもイメージ力を支える能力です。

外遊びは五感を刺激する

そして、外で遊ぶこと、すなわち自然の中で遊ぶということ自体が伸ばしてくれる部分もたくさんあります。

まず、五感を刺激するものとの出会いが頻繁にあります。

色の変わっていく木々の葉っぱや、みるみる成長していく雑草の力とダイレクトに関わる体験ができます。

見通しが良かったはずなのに、気がついたら草が生い茂って前が見えなくなっていて、遊ぶのに怖いなあと思ったり、木々の葉っぱひとつとっても、色や手触りなど無限に近いくらいバリエーションがあります。多様性という意味では、人工で作ったものとは比べものにならないほどの刺激に溢れて、子どもたちの知性を刺激します。その上、自然のものには、人工のものと周波数が違うのでしょうか、何かこう安らいで入ってくるような感じがあります。感覚的なものですが、子どもたちが、気持ちよく、すっと受け容れられるものがあるように思っています。

異年齢同士で遊ぶ

それから、異年齢の子ども同士で遊ぶ体験ができるのも外遊びの良い点です。特に下の年齢の子がいることは、子どもを大きく伸ばします。意や情の部分で人間性を養う点でも素晴らしいですが、知力の部分でも見逃せない効果があります。

心理学的に言うと、ある知識を覚えて身に付けたとき、それをよりよく自分のものにするとうまく使えるようになりますね。そして、最後の最高の段階では、人に教えられるようになります。つまり、人に教えられるようになるというのは、習熟度として最高度だということを示しています。

人に教えることができるためには、自分自身が理解しているのとは別のフィルターが必要です。高度なレベルでの他者性がなくてはいけないし、構造化できてわかりやすく言わなくてはなりません。ポイントをきちっと消化して、「要するにこうだよ」ということを、相手の理解度に合わせて表現していくことが教えるということなのです。

これは、要約力や論理性に関わってくる能力です。子ども同士だと、不思議にちょっとした言葉だけでバチッと伝えることができたりするのですが、「はいはい、あなたの言いたいことはコレね」と先回りしてしまう大人に説明するのと比べ、エクササイズとして優れていることは言うまでもありません。

また、上の年齢の子がいることは、子どもの枠組みを広げます。お母さんがいくら言っても野菜を食べなかったような子でも、「野菜っておいしいよ」という年上の子どもの一言でサラダに手を出すようになるのは、よく見かける光景です。それまでどちらかと言うとやる気のなかったような子が、「先輩」に誉められたことがきっかけで自信をもつようになって何にでも積極的に取り組めるようになる、というのも珍しくありません。子どもは、子ども世界にあってはじめて主体性をもって自己変革し、成長していくことができます。

子どもは、子ども同士の評価の中にいるとき、最も伸びるものなのです。

さらに、危険に対する身構えというのが、外にいるのと家の中にいるのとでは格段に違います。

安心できる環境で遊べることはもちろん大切なことですが、それを整備するのは大人の役割であって、子どもなりに、落ちたら死ぬかも知れないと思ったり、流されたら命がないぞと身を引き締めたりする体験をすることは非常に重要です。これは、集中力という知能面を伸ばすことだけでなく、長い目で見ると、生き方そのものに関わる問題だと思っています。

危険を「本能」で察知する能力

よく言うのは、川で遊ぶときには天気を見ていなくてはいけませんよね。山の上で大雨が降っているようだったらもう近づいてはいけないんです。それを知らないで、家族をキャンプに連れて行ったはいいけれど、中州にテントを張ったため、流されて一家全滅なんていうのは、洒落にならないわけです。逆に、波の様子がおかしいと気付いて、スマトラの大津波からビーチを救ったイギリスの小学生の話もあります。

人間社会にも危険は常にあります。ニュースをにぎわせている振り込め詐欺などはその最たるもので、安心しきって油断しているところを狙ってきます。

「これは危ないかもしれない」という感覚は、すべての動物が生きている間じゅうもっているのが本来の姿だと思います。このセンサーの働きが鈍い動物は、死んでしまうからです。人間なんて小さくて弱い動物ですから、優れた危険関知アンテナをもっているはずです。それなのに、危険に対する感性は、現代の日本社会では絶望的に鈍くなっています。

文化的に恵まれた生活の中で、麻痺してしまっているのです。あまり大きな話をしても仕方ありませんが、環境問題や年金問題、ゴミ問題も、本当は切羽詰まっているのに、何とかなるような気でいる人がほとんどのように思います。

しかし、たとえ入学試験の試験問題が解けたにしても、現実社会に起きている問題からボンヤリと目を背けているような知性が、本当の知性でしょうか。今までは飽和に向かって問題を先送りにしてきた時代だったかもしれませんが、これからは違います。新しい時代の大人となる子どもたちを育てていく上で、問題意識をもたせること、そのベースとなる危険への感性を研ぎ澄ませていくことは、今後ますます重要になってくると思います。

ある団体が企業の人事採用担当者から調査したレポートによると、語学やコンピュータのような二次的な能力は、研修によって後からでも十分伸ばすことができるそうです。その一方で、手先の器用さや空間認知能力、感覚力などの基礎スキルは子ども時代に決まってしまう力であり、研修によって伸びることは期待できません。従って、企業が採用の基準とするべきは基礎スキルの方である、とレポートは結ばれていました。

ですから、知力の伸びる問題集などといったネーミングに騙されないでください。ペーパー上の二次元の世界で「ほら、こっちが奥でしょ」なんて、いくら教えても子どもは伸びません。パソコンの幼児向けソフトも同じです。そもそも問題集的なものは、どうしてもどこかイヤイヤやっているものです。喜んでやっているように見えたとしても、親が喜ぶから嬉しい、というモチベーションのもち方であって、それで伸びる力は必ず頭打ちになります。大人の目を離れ、本心から、ただ楽しいからやっているという体験、生き生きと思い浮かべる体験の再現、繰り返しで子どもは伸びていくのです。

外に出て、それこそ遊びほうけて、気がついたら暗くなっているような遊び方をさせたいと思います。誰に強制されるでもなく、自分から面白がって、はあはあぜいぜい、命がけのような気分で夢中になって遊ぶ体験だけが、他では代替できない力を子どもたちに与えます。

後から差になる力、本当の知力をもった子どもを育てたいと願ってきました。

その答えは、外遊びの中にあったのです。

子どもを伸ばす親・潰す親

知ることを楽しむ能力

自分の子どもを潰そうと思っている親はいないと思います。

しかし、実際には多くの親たちが、我が子の能力を潰してしまっています。しかも、大抵は気付きもしないうちに、無意識のうちに、潰してしまうのです。

この本を読むほど熱心なお父さんやお母さんなら、間違いなく、明日からはお子さんに外遊びを満喫させることだろうと思います。でも、そんなご両親でさえ、大切なお子さんを潰してしまう可能性があるのです。

子どもが伸びない理由として、能力としてもちあわせてこなかったということと、意欲がない、という二つの理由があると前に述べましたが、このうちの、意欲、すなわちモチベーションの部分は、親の言動と家庭環境にかかっています。

親が邪魔するな、という人がいます。子どもというのは、たとえばそこに謎の箱があったら必ず開けてみたがるものです。これが知性です。知らないことを知りたがるし、それがどうなっているかを知りたがります。「どうして?」「なぜ?」で困らされた経験は、ほとんどのお母さんにあるはずです。それなのに、中、高学年と進むにつれて、好奇心を失っていく子どもたちが多いのです。「余計な新しいことは言わないでくれよ」といった表情をし、いつも何か気持ちがいっぱいになっているような子たちもいます。大抵が、幼児期に親が主導して数字や文字といった知識を詰め込んでしまった子たちです。

「種は芽を出す、芽は伸びる。そういう風にできている」

人の学びについて考えた、私の結論です。無理矢理やらせようとしなくても、本来赤ちゃんから大人へと育っていく過程の中で、子どもは必ず知性の芽を出し、伸びていくようにできています。人というのは、学びたがるようにできているのです。

しかし、やっと出てきた芽を、もっと伸びなさいと無理矢理引っ張ったら、芽はちぎれてしまいます。芽も出さないうちから種をかち割って中味を引っ張り出そうとしたら、種は死んでしまいます。

子どもが小さいうちは、特にちょっとしたことで他のお子さんと比べて、「うちの子はまだ〇〇ができないわ」と不安にかられる方が多いようです。そこで焦って、子どもの受け入れ態勢も見極めずに、あのお稽古この塾と、あちこちと引きずり回して追いつかせようとするものの、思ったように進歩してくれないと、つい余計なことを言って、伸びるはずだった芽をつみ取ってしまうのです。

それは、何の気なしに言った「あんたバカじゃないの」といった、たった一言だったりします。この一言が、子どもの勉強に対する型を決めてしまうわけです。勉強というのは、イヤなものなんだという型です。面白くてしょうがないものだったからこそ、種から芽が出てきたはずだったのに、イヤだけどやらなくてはいけないもの、嫌々やっているものになってしまいます。もちろん、子どもだから親は大好きだし、認められたいと思っているのですが、勉強での親との関わりを嫌うために、勉強そのものを嫌いになってしまうのです。

以前、こんなことがありました。

私が主宰している学習会の新入会体験授業でのことです。何組かの年長さんと保護者がいらっしゃいました。保護者の方には、教室の後ろで授業を参観していただくことにしていました。

その中に、丸顔で温厚そうなお母さんがいました。始まる前はニコニコ顔だったのに、いざ体験授業が始まると形相が変わっていき、口は出すわ手は出すわ、挙げ句の果てに、困っているその子に向かって「なんでこんなものもできないんだよ！」と怒鳴りつけて、とうとう泣き出させてしまったのです。

さらに、このとき横に座って「おやおや」といった風に眺めていた別のお母さんがいたのですが、このお母さん、下の子のときはゆったり見守ってあげていたのに、次の時間になって長男が学習を始めると、途端に鬼に変身してしまい、小突いたり叱ったりして、同じように泣き出させてしまったのです。

このお母さんたちは、二人とも、熱心のあまり子どもを学習好きにさせるどころか、大っ嫌いにさせています。ひどい話だと思うかもしれませんが、何人ものお母さん方と接していると、決して珍しいことではありません。子どものためを思う温かい親心が、こと学習に関しては空回りしたり逆効果になることが少なくないのです。一人っ子であったり、長男長女である場合に多いようにも思います。

では親は何もしない方がいいのか？　と言われると、それもまた困ります。親である以上、もちろん、子どもを構わなくてはいけないし、期待もしなくちゃいけないし、ぺたぺた触って話しかけなくてはいけません。

ただ、言いたいのは、幼児期には、勉強に対する喜びだとか、知ることは楽しいことだという実感を植え付けることに集中してほしい、ということに尽きます。何人もの子どもの成長を見ていると、高学年になってぐんと伸びてくる子たちは、決まって「何でもやってみよう」という気持ちをもっている子たちです。遊び・体験優先型で、低学年のうちは多少知識で遅れる場合もありますが、伸びてきたときの勢いは、そんな遅れなど一瞬で取り戻し、他を引き離して高く飛躍していく力をもっています。

幼児のうちから親が背伸びをして、嫌がる知識を詰め込む必要は全くありません。子どもも自身が楽しめる以上に余計なことに手を出そうとすると、たいがい失敗します。そして皮肉なことに、熱心なご両親ほど、失敗しやすいものなのです。

学びの芽を伸ばす環境

子どもに対する直接的な親の言動の他にも、もうひとつ、見逃せない要素があります。発芽した植物が順調に育つための決め手となるのは環境です。同じように、子どもの学びの芽が順調に育つためにも環境が大切です。

孟母三遷という言葉がありますが、それほど大げさなものではありません。むしろ、自然で当たり前の家庭が子どもの周りにありさえすればいいのだと思います。

特に、低学年までの段階に限って言うと、お母さんが安心した状態でいるかどうかということは、子どもの伸びに大きく関わってきます。芽が出てきたとたんに引っ張って子どもを潰してしまうお母さんというのは、要するに子どもに口出ししすぎるという状態なのですが、そういうお母さん方と話をしてみると、そもそも自分が不安定だから子どもに介入したくなるというケースが非常に多いのです。不安定だから、言葉の端端にもトゲが出て来て、子どもも不安定になる。子どもが不安定だから、また口を出したくなる。悪循環です。

お父さんからお母さんにしてあげること

それにしても、正直な話、今のお母さん方は本当に大変です。

父親は朝から晩まで働きに出ていて不在、母親と子どもだけの時間がほとんど、というのが平均的な家庭像です。そんな中で、子どものしつけや教育の大半はお母さんのみに押しつけられています。責任を感じてお母さんは頑張ります。でも、子どもは思ったようにはなってくれません。

そこで心を打ち明けて愚痴のひとつでもこぼせる相手がいれば、まだ少しはましかもしれません。学生時代に仲の良かった友人で、同じくらいの子どもをもっている人が見つかれば一番いいですが、大概はそううまくはいきません。保護者会で会う子どもの同級生のお母さんとは社交辞令で挨拶もするし、お茶を飲んだりするけれど、やっぱり本音では話ができないというのが現実のようです。今のように地域が崩壊して小家族・核家族化した社会に住んでいると、お母さん方が、本当の意味で自分をさらけ出して話せる相手は誰もいないのです。

そうなると、お母さんというものは、深く深く孤立していきます。独りぼっちで全部やらなくちゃいけないと思うから、頑張りすぎてしまいます。子どもは可愛いし、子育てで失敗したくないから、あれもこれもやろうとしてイライラと悩みが尽きなくなってしまいます。

たった一人でも、お母さんが心をさらけ出せる相手がいるだけで、事態は変わります。そして、地域なき現代の社会では、それは「お父さん」がするべき役割だと思うのです。

お父さんも、忙しいとは思います。満員電車に揺られながら朝早くから出かけていって、あちこちで頭を下げて、ノルマや納期に追われて懸命に働いています。でも、それさえやっていれば子どもが順調に育つわけではないということは、しっかり認識してほしいと思います。

お父さんが変わると、お母さんも変わります。それは簡単なことです。

ほんの一言、言葉の端々にお母さんへのねぎらいを表現するだけでいいのです。お母さんが話していることに対して、きちんと聞いているよ、というサインを送るだけでいいのです。たとえば、クリスマスシーズンで、お母さんが「お隣はイルミネーションを始めたみたいよ」などと話しかけてきたとき、お父さんは、今までどんな受け答えをしてきているでしょうか。

「ふーん」とか「そう」とか、新聞やテレビに目をやりながら適当な相槌だけしておいて、「お茶もらえる？」なんて、自分の要求だけ押しつけてはいませんでしたか。

いままで、多くのお母さん方からの相談を受けてきていますが、お父さんに対する不満として一番多く上がってくるのが「話を聞いてくれない」という問題です。

男の側から言うと、一日必死で働いてきて、家に帰ったときには、もうヘトヘトになって「副交感神経優先モード」、休息してる状態にあるのです。そういうときに、お母さんがあれこれ話しかけても、「あー」とか「うーん」とか生返事になってしまって、それが、お母さんにとってはダンナさんが話を聞いてくれないということになってしまうわけです。

でも、お母さんの側からすると、お母さんたちだって子育てを成功させようと真面目に頑張り続けているのです。お父さん方は、何となく自分の母親のイメージを重ねて、お母さんというものは子育てをするのが当然で、できるものだと思いこんでいるかもしれませんが、お母さんだってほんの少し前まで自分のお母さんに育ててもらっていたわけで、お母さんにとって、子育ては責任の重い大仕事です。家にいるから好きなときに休めるだろうと思っていたら大間違いで、子育ての仕事には、昼休みも有給もないのです。

ですから、そこでお父さんが少しカウンセリングマインドをもって対応を変えていくと、事態は全然違ってきます。テクニック的に解析するなら、「相手の言葉を繰り返し、言い換えて、共感する」ということになります。

先程の例で言えば、まず「そうなんだ、イルミネーションつけたんだ」と受け止めて、話をちゃんと聞いていますよ、というサインを出します。それから、「お隣もやるねえ。うちも何かやってみようか」と、言い換えて、共感します。これだけで、お母さんの気分は全然違うものなのです。

今までいくつもの例を見てきましたが、子どもに対する声かけなども、これだけでまるで違ってきます。それを、疲れたとか面倒だとか言って放置していると、子どもは結局勉強嫌いになってしまい、思春期に入ってから問題を起こすことさえあるのです。

お母さんからお父さんにしてあげること

ちなみに、逆にお母さんの方から、お父さんをいい気分にさせるにはどうしたらいいかと言うと、これは単純なことです。

たとえば家族が全員いるときに、あえて「はい、お父さんから」と、ご飯を出してみてください。レストランに行ったとき、子どもが自分の注文を言おうとしたら、「お父さんが先でしょ」と言います。子どもが文句を言っても、お父さんなんだからお父さんが先に決まってるでしょ、と、これだけでもういいのです。「メシ一番主義」と呼んでいますが、お父さんに対して、家族を全員喰わしていくことは大変なんだという認識を示すわけです。男というものは、それだけを願っているようなところがあって、この家族の中で、自分が一番大切で頼りにされているんだという思うだけで、あとは何にもほしくないものです。この家族の中でお父さんが重大な役割を背負っていて、それに感謝しているよというサインをお母さんが示してさえいれば、ご飯がコンビニのお弁当でも、みそ汁の具が毎日同じでも構わないものなのです。

以前、何かの講演で、東大に合格した子どもたちにアンケートをした結果、というのを聞いたことがあります。

家族構成はいろいろです。大家族の子もいれば、母子家庭の子もいます。大金持ちの子も、貧乏な家の子もいます。長男長女も、二番目・三番目の子も、一人っ子も、末っ子もいるわけです。しかし、その多種多様な家庭の子たちが、ある二つの設問に対してだけは、回答者の全員が同じ答えを述べたというのです。

一つは、「勉強しなさい、と一度も言われたことがない」というものです。

まあ、忘れていることもあるかもしれませんが、一度も、というのはすごいです。前にも書いたとおり、勉強に対してうるさく構われなかった子たちが、学びの芽を伸ばすのだということだと思います。

そして、もう一つは、「お母さんはいつもニコニコしていた」というのです。

お母さんという「太陽」が、いつも安定してニコニコいること。つまり、お父さんとお母さんという、子どもにとって最大で最愛の環境が幸せであることが、伸び始めた芽を育てる一番の栄養になるのだということを、このアンケートが証明していると思うのです。

決め手はお父さん

お父さんの役割は意外と大きいものです。

子どものイメージ力を育てていく上で一番大切なのが何と言っても遊び尽くす経験であることは、たびたび強調してきている通りですが、そこで威力を発揮するのはお父さんが「遊び上手」であることです。

良質な遊びや笑いのセンスは、子どもたちのイメージ力を育てていく上で欠かせません。というのも、笑いのセンス・音楽のセンスと、数学というのは非常に近いものがあるからです。

いつも笑わせようという仕掛けを考える人というのは、人がこうだと思っている枠組みを崩すようなことを、四六時中、起きている間中考えているものです。常に冗談を入れるみたいなことでもそうです。そういう企みというのは、常に意表を突かなくちゃいけない点が、創造性とか発見力というものと極めて似たポイントになっているのだと思います。実際に、数理的な人というか数学がすごくできる人に気取ってる人というのはいません。

パターンとして、映画アマデウスのモーツアルトをイメージしてもらうとわかると思いますが、モーツアルト的な、奇矯なというか、一瞬たりとも退屈なことはしたくないという感覚を誰もがもっています。高名な数学者であっても、遊ぶとなったら例外なく「ヌワッハッハッ……！」みたいになれてしまいます。奇矯な変人でいいのか、という課題は別にあるかもしれませんが、でも、こういった柔軟さというのは、想像以上に大事です。

お父さん、本物の「怪獣」になれますか？

ところで私は、笑いというのは男性側にアドバンテージのあるフィールドだと思っています。女性でもすごいコメディやギャグを見せる人はもちろんいますけれど、一般的な話として、男性が強い場合が多いです。

そこでお父さんに期待したいのは、たとえば怪獣になったときに、本当に怪獣と感じられるほど怖い怪獣になることです。

遊びとなったら、もう、ものすごく怖い怪獣になりきれるかどうか。その怖い怪獣度にも子どもの方から見たら格があります。本当に怖いレベルか、どっか照れてるなというレベルか。この、照れがない、入り込める力というのが子どもの発想力を引き出すのに重要なところです。

ここでものを言うのは、お父さん自身の遊びの経験です。これも、やはり外遊びです。缶蹴りが死ぬほど面白かったという経験を、もっているかどうかが重要です。

お父さんが遊び尽くした経験をしていないと、子どもとうまく遊ぶことができません。ところが、最近では、幼児期から大人になった今に至るまで、遊び尽くした経験がない、というお父さんが増えています。小さいときの外遊びに限らず、青年期に恋愛に夢中になって生きるの死ぬのとやったという経験も含めて、何かに熱中した経験がない人たちです。すでに今のお父さんも「ゲーム世代」のようなのです。ゲームで自分が遊んでもらっているから、自分が誰かを楽しませる喜ばせるという発想や工夫がないのです。

そうなると、お母さんに頼まれて子どもを連れて公園に子どもを連れて行っても、どうしたらいいかわからない。じとーっとベンチに座っていて、子どもに遊ぼうと言うと、「いやーだ」とか言われて傷ついたりして、うまくいかないのだそうです。父親学級を開くと、どうしたらいいんでしょう、という質問をよく受けます。

でも、子どもというのは、追いかければ喜んで逃げるものですし、手を掴んでぐるぐるっと回してやるのでもいいのです。子どもたちに聞くと、「やっぱりお父さんだと面白い！」とみんな言いますから、子どもと遊ぶときは、普段の枠を思いきり外して、うんと怖い怪獣に変身してみてください。

思い切り楽しんで、それでドンとしたところを見せる

次に大切なのは、何かを楽しんでいる姿を子どもに見せることです。親が楽しんでいる姿を見ていると、子どもも自分の生活を楽しむようになります。勉強だってそうです。いろいろな楽しいもののひとつとして、やるなら集中して、「よーし、この問題を解いちゃうぞ！」というような気概がないと楽しくありません。無難にまとめて提出しようかな、みたいなのでは面白くないですから、親が「楽しむ」ということを体で示すことは非常に重要です。

だからと言って、お父さんはふざけてさえいればいいかというと、それは違います。「怖くて、面白くて、遊び上手なお父さんがいい」、と父親学の講座でよく聞いたことがありますが、お父さんが怒るとすごく怖い、という部分も失ってはいけません。

お父さんの役割は、お母さんと違っていいのです。お母さんというのは、顔色が悪いなとか、寒くなるから長袖もたせなくちゃとか、子どもの生きてる状態に対することへの感性が男とは格段に違います。ですから、そこはお母さんの独壇場でいいので、お父さんまで細かいことに口出ししようとすると失敗します。

また、怖い方がいいのかと、お母さん的に、と言ったらお母さんに失礼ですが、感情的な怒り方をするのもうまくありません。ましてや、子どもがイジメに遭った、怪我をした、と聞いてあたふたとお母さんと同じ反応をしてしまうなんていうのは最悪です。

お父さんは、小さなことにはいちいち反応しなくてもいいのです。どんと構えている方がいいのです。たとえば東に行って崖があるなら、崖だから行ったらダメ、ダメと言ったらダメ、と、バシッとやるとか、大枠を見るのが仕事だと思うのです。ここぞというときの方向性と言いましょうか、うちはこういう風にやろうと決めた、という方向性を見るのが役割です。

だから、お父さんが子どもになめられたら終わりなんです。こいつ自分より格下だな、と子どもに思わせては駄目なのです。

しかし、実際には、仕事から帰ってくると子どもと遊ぶ気力もなくて、テレビを見ながらいつの間にか寝てしまう……ようなお父さんも多いかもしれません。

これは、実は非常にまずいです。脅すわけではありませんが、最悪の場合、家庭内暴力に発展して行ってしまうケースもあります。体力の面で子どもが大人に逆転したときに、それまで抑えこんでいたものが一気に出てきます。

何が問題かというと、こういうお父さんは、自分でも気付かないうちに舞台裏しか見せていないということになるのです。頑張るという部分、仕事もそうですし、お母さんを口説くときも頑張ってたお父さんが本当はいるのですが、子どもには休んでるところしか見せていません。家庭だから、くつろいでいるのはいいのですが、子どもはそれしか知らない、ということになってしまうのです。

でも、これは、お父さんが虚勢を張るということではありません。家庭におけるお父さんのポジションというのは、実はお母さんの言葉に支えられています。お父さんがいないところで、お母さんが普段どう言っているか。そこが一番重要です。

たとえば、子どもが「お父さんまた寝てる」と言ったときに、お母さんが「お父さんは大人なんだからいいの！」とピシッと抑えてくれればいいのですが、お父さんが日頃お母さんに不義理をしていると、そういうフォローも期待できなくなってきます。

お母さんたちは、本当に孤独です。子どもが生まれてからずっと、子どもと自分の二人しかいない世界から出られないでいます。そこで、お母さんも自分のカウンセリングとして誰かに自分の思いを話すことが必要になるから、悪気はないのですが、ついお父さんの悪口が出てきてしまうのです。「まったくお父さん遅いよね」とか「お父さん嘘つきだよね、日曜日にドライブ行こうって約束したのにね」と、いった具合です。子どもにしてみると、それを赤ん坊の頃から聞いているから、お父さんなんて大したことない、格下だ、と思ってしまうわけです。

「昼間のパパはかっこいい」

では、お父さんがどうも格下に見られているようだ、という場合にどうしたらいいかというと、対策としては、働いてるお父さんを見せることをお勧めします。

「昼間のパパは光ってる」という歌がありましたが、昼間の、仕事を頑張っているお父さんは、誰でも「オーラ」が出ています。お店をやっている家の子は大丈夫、と言いますが、それはやはり親が真剣に働いている姿を身近に見ながら成長するからだと思います。仕事の内容の細かいところまで理解させる必要はないですが、機会を見つけて、お父さんが働いている姿を横からチラッと見せるだけでも効果があります。そして、かっこいいお父さんの姿を見ることは、子どもにとっても誇らしく、とても嬉しいことなのです。

家庭内のさまざまな問題を、外から相談者として見てきた者として、大局を見るという視線が家庭の中に不足していると感じることが多々あります。

それは、「いざというときはお父さん」と言い換えることもできます。

普段の生活では細々としたことは言わないけれど、自分の哲学はこうであるというものをしっかりもっていて、ここぞという要所でガツンと叱る。遊ぶときは夢中になって遊び、面白くて、子どもが本気で怖くなるような怪獣になれるお父さん。

子どもの頭と心がすくすくと伸びていくために、お父さんの役割は思っている以上に大きいということを、よく心に留めておいていただければと思います。

親たちのＮＧワード・ＮＧ行動

「何回言ったらわかるの？」

　ここからしばらく学習意欲全体に関わるキーワードや行動をいくつか挙げていきますが、そのトップバッターとして、この言葉を選びました。

　これは言っているお母さん方が本当に多いので、みなさん思い当たることがあるのではないでしょうか。

　シチュエーションとしては、たとえば勉強を教えるときです。

　最初は優しく、今日こそは良い母でこの子がやる気を出すように、と思って教え始めるのですが、子どもの方では、つい今し方言ったばかりのことでも、やっぱりまた間違ったりするわけです。そうすると、この言葉が出てきます。

「何回言ったらわかるの？」

類似語として「さっき言ったでしょ！」というのもあります。

いずれにせよ、これは幼児の本質を見ない乱暴な言葉です。こんなこと言うくらいだったら、お母さんは勉強を見ない方がいいと思います。

何回言ってもやってしまうのが子どもです。忘れるから幼児なのです。それでも、お母さんの期待に添いたいと思うから、何とかやろうとしてチャレンジしているわけです。そこでこういうことを言われ続けていると、子どもは、もう嫌になってしまいます。勉強そのものが、嫌になってしまうのです。

ところが、いったん「何回言ったらわかるの？」と感情的になり始めると、お母さんの方は段々ヒートアップしていって、ついにはこんな言葉まで飛び出します。

「ほら、また間違えてる！」

これは何というか、「ンもぉ～っ！」っていう感じと言いましょうか。大人の方が非常に安定していない状態から出てくる言葉だと思います。同時に、あら探しをするつもりはないのだと思いますが、どうせ失敗してるだろうと親側が予見していることも表れています。当然、対する子どもの側も、どうせ叱られるんだと思って聞いていくことになります。つまり、勉強に関して、そういう関係が出来上がってしまうというわけです。

幼児というのは、何回言ってもまた失敗するのが幼児だという構えでいるべきだと思います。何回も忘れるから、何回も言うんです。たとえば、幼児期の子どもたちは、お友達とケンカをしても、ケロリと忘れてすぐまた仲良くなれます。勉強も同じで、覚え立てのことはまた忘れます。でも、また忘れたのと腹を立ててしまったら台無しです。そこで子どもは勉強が嫌いになってしまいます。忘れたら、何回でも「ああ、忘れちゃったのね」というタッチでいくのが一番いいのです。

ただ、これは我が子だと難しいという話もよく聞きます。かなり人格者の親御さんでも、我が子だとだめだってみなさんおっしゃいます。その代わり、たとえば社宅などで、子どもを取り替えて教えると、不思議とうまくいくそうです。人ごとだと冷静になれるのかもしれません。

「この前だってそうでしょう」

これは、統計を取ったわけではありませんが、経験上、お父さんよりお母さんの方が発しやすい言葉だと思います。

勉強に限らないかも知れないのですが、子どもは、いつも、大人が思ったようにできるものではありません。そのときに、「だいたいこの間だってそうでしょう」と、そのことと直接には全く関係ない過去の失敗を持ち出す言葉です。

例を出すと、観たいテレビか何かがあって、子どもが宿題になかなか着手しない。そういうときに、「夏休みの最後だって、泣きながら宿題やったじゃないの。あのとき、お母さんもお父さんも手伝って大変だったでしょ……」といった具合です。

夏休みの宿題が終わらなくて大変だったことは、今日宿題をやらなくてはいけないことと関係ないのですが、つい過去を引き合いに出してきて叱ってしまうのです。

悪意を持ってしているつもりはないのだと思いますが、お母さんというのは、人の過失ボックスを持っているみたいなところがあって、何かにつけて過去を言いたがる傾向があります。同じ失敗をさせたくない親心はわかりますが、でも、これは単に感情的になっているだけで、何ひとついいことがない言葉である、と断言できます。その子は間違いなく勉強が嫌いになります。

実は、過去をもち出すというのは、薬物だとかタバコだとか、そういうのを辞めたいと思ってる人がいるときに失敗させる方法なのです。その人が努力して、三か月一度も手を出さなかった。そういうときにダメにさせたかったら、これで一発なのだそうです。聞いた話では、ヤクザさんなどがよく使う手だそうです。足を抜こうとしてる人に「大体おまえ中学の頃から不良だったじゃないか」と。今さらどうしようもない過去の持ち出されると、どんなに固く決心していても、やる気がくじけてしまうのだそうです。

だから小さい頃に、勉強のことでこれをやられると、勉強嫌いになるのは確実です。叱るときは、「短く、後を引かず」がキーワードです。今日やらなかったことについてだけきちっと叱って、それで終わりにするようにしたいものだと思います。

「うちの子、ダメだから」

子どもに直接かける言葉ではないところにもNGワードはあります。ことに、人前で我が子をけなす癖のある方は要注意です。

けなしているつもりはない、とおっしゃる方でも、社交辞令のところは意外と手薄です。思いきりへりくだったことを言いがちな危険地帯です。

たとえば、保護者仲間のお母さんなどに、「お宅のお子さんいいわね、算数できて」と言われたとします。そのとき、ついつい反射的に「でもほら、ウチは国語が全然ダメだから」といった対応をしてはいないでしょうか。

もちろん、これは謙遜で言っているのはわかります。「そうなの。すごいでしょ」とは言えないから、大人のテクニックとしてこういう言い方をしているに過ぎません。ところが、子どもはちゃんと聞いています。子どもというのは、大人同士の会話に非常に敏感にアンテナを張っているものなのです。

子どもはちゃんと聞いていて、やっぱり自分はダメだと思われてるんだと思いこんでしまいます。親にしてみれば社会生活のひとつの技、単なる挨拶として使ってるつもりだけど、子どもは、そうなんだと真剣に受け止めています。子どもによっては、それが深い傷になって残ることさえあります。

と言うのも、大きくなって問題行動を起こした子どもに過去の話を聞くと、人前でけなされた記憶というのはよく出てくるエピソードのひとつなのです。一方、そんな場合でも親の方ではまったく覚えていないケースがほとんどです。

子どもは、大人同士の会話でもしっかり聞いて、気にしています。たかが社交辞令と思って何気なく言ってしまうものですが、言葉は残ります。気をつけていただきたいと思います。

「バカじゃないの」

これは、最悪ですね。

お母さんが「バカ」という言葉を使った時点で、言われた子は一生本気で勉強好きにはなれなくなります。一回でおしまい。「ジ・エンド」の言葉だと思います。

もちろん、その後も子どもは我慢して勉強するでしょう。しかし、やろうと努力しますが、それはもう我慢してるというだけの状態です。もう二度と再び、絶対に楽しんで勉強するようにはなりません。

でも、いままで何度も書いてきているように、本来、勉強というのは楽しいことなのです。勉強好きな子というのはたくさんいて、そういう子たちは、放っておくとずっと勉強しています。彼らは、当然ですが、こんな言葉を言われたことは一度もありません。

「テストがダメでも知らないわよ」

上の句だけを入れ替えて、「テレビばっかり見てると知らないわよ」とか、「あとで困っても知らないわよ」とか、バリエーションがいろいろあります。学習面だけでなく生活面でも出てくる、使用頻度の高い言葉です。

お母さんたちの話を聞いていると、どうやら大概のお母さんが言っている言葉のようですが、この言葉、子どもの気持ちを切り捨てるような冷たさがありませんか。

親は、子どもに向かって「知らない」と言ってはいけないのです。何があっても、どんなときでも我が子、と抱きしめてくれるからこそ親なのです。

これは子どもの現実に真正面から向かい合っていない言葉です。はっきり言って、捨てぜりふです。

親から捨てぜりふを投げつけられ、突き放された子どもが、反省して「よーし、今日から勉強するぞ」となるかと言うと、なりません。

子どもは、ただ、困るだけです。

「お父さんに叱られるわよ」

オーソドックスなパターンとして有名な、電車の中などで子どもが騒いだときに「あのオジサンに怒られるからやめなさい」と言うのと同じです。自分じゃない誰かを叱りの規準としてもってくるというやり方です。

これを言うお母さんというのは、自分はいい立場に立ちたいわけです。

自分は慈愛溢れる母として子どものあなたを抱きしめているんだけど、あのオジサンは怖いでしょ、と、自分が主体となって問題に直面することから逃げてしまっています。これは子育てのあり方として既に問題だと思いますし、子どもは確実に見抜いています。お母さんずるいな、という感じで、お母さんの格を下げてしまっています。

子どもは、お母さんの「規準」を知りたいと思っています。知りたいために、あれこれいろんなことをしでかすと言ってもいいくらいです。子どもは、お母さんに「ダメだからダメ!」とはっきり決めてもらえればすごく安心するものなのです。

ですから、お母さんたる者、いけないことはいけないと、きっぱり言わなくてはいけません。叱ってるのは私なんだから、「私が許さない」、と言わなくてはいけないのです。

「靴で上がるなんて、私は許さない」、「宿題をしないなんて、私は許さない」。そこに、妙なヒューマニズムっぽい理屈なんかいらないのです。

「何でじゃなくて、ダメなものはダメ」

一〇〇万回の説得よりも、この一言の方が子どもはずっと深く納得するのです。

「それじゃ、今日だけよ」

「それじゃ今日だけよ。明日からちゃんとやるのよ」と、根負けする。これは、NGもNG、スーパーNGワードです。意欲という意味では、学ぶことの必然性をなくしてしまう言葉です。また、学力という点でもおかしなダラダラ癖をつけてしまうことになるので、ロクな結果にはなりません。

こんなことを一回でも許された子は、何かにつけて似たような理由を持ち出してきます。子どもなりの既得権というか、楽な方へ楽な方へと行く領域を広げたがりますから、泣こうがわめこうが、微熱ぐらいじゃ宿題は絶対するものだと、ビシッとやらなくてはいけません。

だから、これは最初だけが肝心です。やるようになった子は、何の迷いも疑問なくやるわけで、変に迎合して余分な迷いを作るより、親にとっても子どもにとっても、ずっと幸せだと思います。

ここを勘違いして、子どもに聞きましょう、子どもと話しましょう、という流れの中で捉えてしまって失敗するお母さんが多いのです。子どもと話し合うことはもちろん大切なのですが、話し合うべきことが違います。やらなくちゃいけないことに話し合う余地などありません。理屈抜きで、あなたの将来を考えたらやらなくちゃいけないことだから必ずやりなさい、と毅然とした態度を示してください。そういうところで、「あなたはどうしたいの」なんて意見を聞いたりするのは、子どもの側から見ると規準がないだけで、頼りないこと、この上ありません。

時期で言うと、一年生の最初辺りが勝負です。

文字にしても、幼稚園まではだいたいのところで書ければ、「わあ、上手ねえ」と褒められてきたのに、小学校に入った途端に「トメ・ハネ・ハライ」できちんと書かなければ駄目だとなります。それで、子どもが勉強というのはちょっとストレスだな、厄介だなと思ったときに宿題というのがやってくるから、やりたくないなあという気分になるのです。子どもがそういう様子を見せているときに、お母さんが怒るでもなく、「宿題はやるものよ」、と、バチッと押しつけてしまえばそれまでのことなのですが、さぼりたい気持ちを変に受け止めてしまうから、ややこしくなってしまうのです。

では、ちなみに失敗してしまった後はどうしたらいいかと言うと、学年変わりや誕生日が狙い目です。

子どもにとって、一学年上がるというのは大人には考えられないくらい重大なことです。

大人から見ると、同じ子どもという枠にあるだけですが、子どもの人生にとっては全然違うものです。二年生の子に、「あれ、一年生だっけ」なんて言うと、ムキになって怒ります。そこが付け目で、今までをリセットするチャンスになります。

まず、二年生になったその日に子どもを呼び出します。

周りに兄弟がうろうろしているような状況は好ましくないので、きちんと時間を取って、両親と子どもが物理的に一対一になれる場を作ってください。押入でもトイレでも、どこでもいいです。

そして、「今日は話があるんだ」、と真顔で言います。うんと儀式張って言うのがポイントです。

「あなたは今まで宿題をやりたくないときもあったよね。本当はすごくいい子だってわかっているけれど、これまではそういうときもあったよね。でも、今日からは二年生で、もう今までとは違うんだから、これからは絶対ちゃんとやると誓ってくれる?」と迫るわけです。今度やらなかったら家を追い出す、くらいの厳しいことを言ってもいいでしょう。「今までとは違う」、「お兄ちゃん・お姉ちゃんなんだから」と言うと、子どもはすごく真剣に聞きます。そして、誓わせた後は二度と許さないということをすればうまく定着していきます。

これは何人も成功者がいる方法です。お手伝いなどにも同じ方法が使えます。

ただ、忙しい中で時間を取って一対一でというのが難しくて親の方でそういう時間がとれないでいるというケースもあります。そうすると、いつまでも悩み多いお母さんでいなくてはならないわけです。私のところに相談に来られて、「やらないんですよー」なんておっしゃいますが、「やらないんですよ」と言った時点で終わっているものだと思っています。

結局、親の方もずるずるしてるのです。

言い間違いを放置する

できる親の子はやっぱりできるわよね、なんていう話をよく聞きますが、育ちというのは大きくて、その一番大きいのが言語の論理性と、コミュニケーションとしての会話をしているかどうか、の二点だと思います。生活環境の中で一番大事なのは何かというと、つまり親が言葉に対してどういう態度でいるかということが決め手になるということです。まず、根本的にお父さんお母さんが間違った言い方をしないこと。そして、使い方に不安があるときはすぐ辞書を引く習慣をもっていることが大前提です。

お母さんお父さん自身がすぐ辞書を引くという家庭環境があるかどうかということはすごく重要で、調査してみると面白いくらい偏差値に比例する結果が出てきます。中学生にアンケートを取って、自分が小さいときにお母さんお父さんが辞書を引いていたかを調べてみると、とてもよく引いていた・わからない言葉があると引いていた・たまに引いていた・辞書自体がない、の順で、その子の国語力とだいたい比例しています。いわんや、お母さんが「ていうかー」「……じゃないですかあ」「ぜんぜん平気」のような話し方をしているようでは、あまり希望がもてません。

まず、言語の論理性ということでは、ごく普通の論理性が重要で、具体的には、子どもが間違えた言い回しをしたときに、お母さんお父さんがすぐ修正をかけてくるというのが第一です。言い間違いとか失礼だとかそういうことも込みで、ちょっとした言い間違いでも見過ごさず、さっと言い直させます。算数の文章題や長文の読み取りに長けた子は、概して語彙力も豊富ですが、その語彙力の背景には、家族が言葉にうるさいことが一つの要素としてあげられます。ちょっとでも意味が不明な言葉があれば、すぐその場で辞書を引くとか、変な言葉遣いをすると、すかさず誰かが咎めるとかというように、正しい言葉を使おう、とする空気が家の中にあるのです。

たとえば、子どもは嬉しいと楽しいの言い間違いみたいなことをしょっちゅうします。それを見逃しにしないことです。「ケンケンガクガク」などと言ったときに「ケンケンゴウゴウかカンカンガクガクかどっちかでしょう。辞書引きなさい」と、即座に指摘したり、作文で「ぼくは昨日運動会が朝から始まりました」なんていう係り結びの間違いなどを、「それじゃ意味がわかんないわよ。ちゃんと直しなさい」とすぐ言い直させたりしているかどうかです。

水準はいろいろですが、面白いのは、言い直しをさせている家庭というのは当たり前にやっていて、特別な意識もないことです。それが日常で、自然に言っています。

ところが、やらない家庭だと徹底してやりません。お母さんが、あんた言ってることわかんないわよ、と言うべきところで、こういうことが言いたいのね、こうでしょ、こうでしょ、と手を差し伸ばし過ぎているのだと思います。小さなことのようですが、年月で積もり積もってくると大きな差になります。言葉の正しさ、という部分には、ぜひ無関心に陥らないよう気をつけていただきたいものです。

総領の甚六などと言いますが、一人目の子が割とボケッとしてるというのは　親側が察して、察してあげてしまうというのがあるようです。両親で比較すると、お母さんは割と許しがちなところがあって、ああ幼いから仕方ないんだわ、と慈しんで察してあげてしまうのだと思いますが、しかし、これは、完全に放置されてるというのも同じです。過干渉と放任は紙一重だということを、よく理解していただきたいと思います。

テレビを見ながら指示を出す

親の言葉ということに関して、もうひとつ、コミュニケーションの方で考えると、伸びない子というのは、人の話を聞けないというのが一番大きい原因だと思います。モラルというか、勉強に対する基本的なものが欠けているのです。

人が前に立って話したらその人の目を見て集中して聞く、というのはしつけの部分なのですが、ここが崩れてしまっているのです。

この理由を考えると、今一番問題なのはテレビです。人間的な関わりに対して、テレビは非常に大きい「負」の役割をしてると思います。その場に居合わせている人間関係が崩壊していても、テレビの方でわいわいわいわいとやってくれているので、何とかなってしまうのです。

そもそもお母さん自身がテレビを見ながら、子どもの顔も見ないで「お風呂に入りなさい」などと言っているような家庭が本当に多いようです。そうなると子どもの方でも同じように行動します。それで成績が上がらないと言われても、コミュニケーションの第一歩目を踏み外したままで何かをしようとしているのだから、ここの壁は非常に高いのです。

勉強のできる子というのは、例外なく他人の言葉・先生の言葉に集中することのできる子です。問題を見たときに出題者のやらせたいことが分かる子、問題のねらいに対する感受性の鋭い子です。言い換えれば、これがコミュニケーション能力のある子たちの姿なのです。

親もすでにテレビ世代ですから、食事のときにテレビを消すというのも難しくなっているのかもしれませんが、最低限、何か指示を出すときにはテレビから目を離してください。一日に三十分でもテレビを消して、会話の時間を持ち、お互いに「言いたいことをはっきりさせ」、相手がしゃべっているときは「しっかり聞く」ということをご両親自ら示してあげてください。

子どもの顔を見て、目と目を合わせて話しかけてください。それは、本来とても楽しいことのはずです。そして、そこからが、やっとスタートラインなのです。

他の子と比較する

二つのものがあったら比べてみたくなるのが人間の知性というもので、我が子の場合も、他の兄弟や、近所の同年齢の子と比較して見てしまうのは、ある意味、人間の本能だろうと思います。

しかし、ここで負け組に回されてしまった子には、もう意欲を湧かせる術がありません。人間は本来よりよくなろうと自然に思うものです。子どもの場合は、その手段として学習に向かっていくわけなのですが、いったん自分を負け組と意識してしまった子は、すべてに対して、やる気をなくしてしまいます。

子どもというのは、誰でも、親に愛されたい、親にとって一番愛される存在でありたい、と心の底で願っているものです。そこへ、「○○ちゃんはもう△△ができるんだって」、「弟にできるのに、なんであなたはできないの」などと言われ続けていると、子どもは「どうせ自分なんか……」と自分自身を見放してしまうわけです。

以前、教えた子どもの中に、三姉妹がいました。長女は大変優秀で、一年生のときから、自分から進んで新しい問題にチャレンジしたがるような、自主性とやる気をもった模範生でした。こういう場合、たいてい次の子は、姉への賞賛が重荷となり、自分を実力以上に小さく捉えて自信をなくしていることが多いのですが、案の定、次の年に入会してきた次女は、勉強に対して心の壁をもっていました。たとえて言えば、意欲という泉に蓋をされているような印象で、とても心配な状況でした。

ところが、二年生の夏に異変が起こりました。夏休み明けに会うと、瞳をキラキラさせて気負い溢れる表情で問題に取り組む子に変身していたのです。驚いてお母さんに聞いてみると、次女の様子について夫婦で話し合い、一週間ほど長女と三女をお母さんの実家に預けたのだそうです。普段は両親と子どもたちは別々の部屋で寝ているのに、三人で川の字になって寝たり、三人だけの秘密をもったり、三人だけで遊園地に行ったり、とにかく次女を徹底的に可愛がったのだそうです。

良くできて誉められる姉と小さいために手をかけられる妹の間で、寂しい思いをしてきた次女は、「愛情の独り占め」という「治療」で見事に立ち直り、強い自信をもつことができたのでした。彼女に必要だったのは、学習アドバイスではなく、「うん。自分は愛されている！」という確かな実感だったのです。

また、別のご家庭ではこんな例も聞きました。

二年生と年長さんの男の子二人兄弟なのですが、兄弟げんかをしたときなど、どうしても上の子に強く当たりがちで、お兄ちゃんが拗ねているのに気がついたそうです。

そこでお母さんが考えたのは、お兄ちゃんが乳幼児だった頃のビデオを引っ張り出して、弟が眠ってから一緒に見る、という方法でした。

父母、祖父母に囲まれて「あらあ、タッチしたあ」、「ほーら、〇〇ちゃーん」などと猫っ可愛がりされている場面を見ていると、長男の顔が次第にほころび、穏やかな寝顔で眠りにつくのだそうです。

さて、このように素早く気付いて手を打てるようなご両親であれば、問題を問題にする前に対処することが可能です。しかし、ほとんどの家庭では、ひとりで欠乏感を感じている子どもを、そのまま放置してしまっているように思います。

お母さんお父さんに言わせると、「うちはこんなもんだから」と言います。家族カプセルといいましょうか、自分の家族はこれでうまくまとまっているんだと思っているのでしょうが、子どもの側から見たら全然違うのです。

親は、何の悪気もなく、それ以前に特に意識することなく、いろいろな言葉を発しています。ところが、刺されていると感じている側というのは、ひとつひとつの言葉や、ちょっとした兄弟との差に、その都度グサグサと刺さっているのです。黙って耐えているのです。そこに、ほとんどのお母さん方は気付かないのです。

もちろん、先程書いた通り、比較するのは人間の本能ですから、過敏になる必要はありません。親の側が、自信をもって我が子を愛すること、我が子を素晴らしい子どもと信じること、この二つがしっかりしていれば大丈夫です。些細なことにまで気を回しすぎ、自分は悪い母親なのではないか、とお母さんの方まで自己嫌悪に陥るような事態は、最も避けたいことです。

子どもを比較して負け組に追い込んでしまうのは、親の側に自信がないことが要因です。自分の我が子への愛情や育て方に自信がないから周りをキョロキョロと見回して比較したくなって、不安を子どもにぶつけてしまうのです。この不信感が元凶です。

子育てとは、自分のすべてを使って、ぶっつけ本番で行うものです。そこに正解はありません。成長の速度も、速いことが必ずいいとは、限りません。

子どもをまるごと愛することに自信をもってください。「自分は愛される価値のある人間だ」と感じていれば、子どもは必ず、すくすくと伸びていく子になるのです。

子どもを伸ばす生活術

お手伝いは二度おいしい

子どもとの生活の中で、一番いいのは「お手伝い」だと思っています。一年になったらお風呂洗い、二年生になったら薪割り……というのは冗談ですが、そういう何かひとつ決めたことを、一貫して継続してやらせ続けることが大事です。これは多少の微熱であってもやらせます。あなたがこれをやってくれなければウチは回らないんだよ、という風にきちんともっていってあげることが重要です。

それがなぜいいかと言うと、必然性のある生活の中の作業というのは、継続してやっているると必ず工夫してくるものです。お風呂洗いひとつにしても、一日目より二日目は、絶対に何か伸びています。水の流し具合であったり、洗剤をつけるタイミングであったり、角っこの洗い落とし方だったり、ちょっとしたことちょっとしたことを工夫して伸びてくるようになります。

よく工夫しなさいとか、工夫する力を伸ばすことが大事だとか言いますが、それは生活の中、遊びの中でしか伸ばせないものです。そして、そうせざるを得ないような選択肢なしの状況と、本人にやらなくちゃ、という必然性のある状況であることが一番大事です。そういう点で、お手伝いというのは非常に効果があります。純粋に知性という面だけで考えると、先程から一貫して言っている将来効く力というものの中の「工夫する力」、「試行錯誤能力」のようなものは、このときの経験に影響される部分が多いのです。

お手伝いの始めさせ方としては、一年生だからやりなさい、というような言い方が一番効きます。前にも書きましたが、学年の切り替わりというのは、子どもにとって一つの大きなテーマになっているからです。一・二年生と一まとめに言いますが、子どもにとっては一年生か二年生かは大違いです。二年生にはプライドがあります。もう一年生じゃないと思い、一年生という後輩ができる。一年は子どもにとってはものすごく長いものなのです。

私自身も一年生になったときにお風呂沸かしを頼まれて、やるのも楽しみだったし、あのときに培われたものは大きかったと思います。たとえば、梅雨時は、薪が湿気てしまい、なかなか大変なものです。しかし、そこを頑張って木の組み方、空気道の付け方などを工夫して、見事に燃え上がった喜びは格別でした。

もちろん、お手伝いといっても、最初からパーフェクトに仕事がこなせるはずはありません。最初のうちは、お風呂掃除だって「丸く履き」になってしまいますから、実際には陰でこっそりお母さんがフォローしても結構です。でも、本人を前にしたときは、そんなことおくびにも出さずに「助かるなあ」、「いつもありがとう」と言ってください。人は誰でも他人の力になれたとき大きな喜びを感じることができますが、子どもも同じです。とりわけ、大好きなお母さんの力になれたときには、誇らしく、弾むような嬉しさを感じるものです。お母さんから「ありがとう」と声をかけてもらえれば、次のお手伝いへの意欲が膨らみます。

そうやって張り切ってお手伝いをしているうちに、お風呂洗いのスキルも、ぐっと洗練されてきます。お手伝いは二度おいしいと言いますか、子どもの知能を育成するという意味でも効果が高いものですし、現実的に家庭を回していくための、頼りになるスタッフを育成するという点では、お母さんの仕事も少しは軽くなると思います。

もし、どうしても仕事のこなし方に注文がある場合は、何気ないときに、こうした方がいいわよ、と、本人が嫌がらない範囲で優しく教える程度がちょうどいいと思います。ここで子どもを潰してしまうお母さんというのは、非難として言ってしまうので要注意です。「だからあんたに任せておくとダメなのよ！」と、一言で潰してしまうのです。

子どものプライドというか、あなたに○○を任せたよ、と言われて、子どもは子どもなりに一生懸命やってるわけです。そこで頭ごなしな言い方をしてしまうと後に引きずります。いま講師で手伝いに来てくれてる二十歳とか、三十歳近い人たちに聞いても、あのときのお母さんの言葉だけは許せない、としっかり覚えています。自分がやってくれって言ったくせに、あんたに任せるとこんなことになる、と言ったといって、まだ傷になっているわけです。

特に「母と娘」で悪い関係の場合というのは、つぶし合う関係と言ったら言い過ぎですが、頭ごなしな言い方をすることが癖になってしまっていることが多いようです。これはもう、根深い病巣です。お母さん方と話していると、お母さんもそんなこと言うべきじゃないことは認識しているのです。でも「わかるんですけど言っちゃうんですよねえ」とお母さん方はおっしゃいます。ここに厳しい壁があると感じています。

さて、お手伝いを頼んだら、最もいけないことは、NGワードのところでも触れましたが、子どもがやりたがらなかったときに「じゃあ今日は仕方ないけど明日からちゃんとやるのよ」と根負けしてしまうことです。明日はテストがある、とか、今日は頭が痛いから、とか、何か理由を認めてしまったらおしまいです。高熱があったり、物理的に怪我をしてしまって不可能であったりするような場合以外は、あなたが分担した分についてはしっかりやってもらうよ、という風にしないと、必然性が保たれなくなって、結局は、やらせない方がましだった、ということになります。

特に、「試験があるから」というのを、一回でも認めてしまったらご破算だと思ってください。生活が第一であるべきなのに、勉強の方を優先してしまうということです。必然性のある生活の中の作業を継続的にやるから、いろいろ工夫が始まるわけであって、それより目先の試験の方を優先してしまったら進歩は望めません。総合的に見ても、精神的な面でもよくありません。

叱るときは、しっかり叱る

あるお母さんと立ち話をしていたときのことです。

子どもが手に持っていた、やり終えたペーパーを落としました。しかし、拾おうとしません。お母さんに「拾いなさい」と注意されると、子どもは「お母さん拾って」と言い返しました。「自分で拾いなさい」、「いやだ！　拾って！」という押し問答があった挙げ句、「全くもう」と言いながら、結局お母さんが拾ってあげていました。この子は将来苦労するだろうなと強く感じざるを得ませんでした。

本来だったら、お母さんに「拾って」などと命令した時点で、バシッと叱りつけなくてはいけないシチュエーションです。それなのに叱られもせずに自分の言い分を通してしまうというのは、日常的に同じような光景が繰り広げられているのだろうと推測したわけです。

つい一回のわがままを許し見逃してしまったばかりに、子どもが既得権にしてしまって親の言うことを聞かなくなることは、よくあることです。でも、そのままでは将来に必要なさまざまなしつけをし損なうことになります。

この子は、何でも最後はお母さんが始末を付けてくれるという依存関係が当たり前になってしまっているのでしょう。すると、細かい注意を払う、失敗しないように集中する、回りに気を配る、少しくらいの辛さには耐えられる、などの大切な基礎能力が育めないまま成長していくことになりますから、学習にも直接響くことになります。これからさぞかし大変だろうと思います。

しかし、これは実は子どもの側だけの問題ではありません。親子の問題です。そして、お母さんが変わらない限り、なかなか改善は望めないのが現実です。

叱れないお母さんが増えているように思います。しかし、子どもを認めることと、わがまま勝手にさせておくことは、まったく違います。大学生にでもなったときに、「これからは自分で判断しなさい」と宣言して切り替えるということはあって然るべきですが、それまでの成長の過程では、親がきちんと指針を示して甘やかさないということは、とても大切なことだと思います。

叱れないお母さんというのは、概して、子どもとの人間関係を崩したくない、という恐れを心の中にもっている人が多いです。子どもに嫌われたくない。いやな母親だと思われたくない。すてきなママでいたい。そんな思いが邪魔をして、パッと叱ることができないのではないでしょうか。

けれども、その子の将来のことを本気で考えるなら、直すべきところは早いうちに手を打って、しっかり身に付けさせることの方が大切なはずです。宿題をするしないもそうです。社会的なルールのこともそうです。今の例でプリントを拾うということにしてもそうです。要するに、お母さんの意識の中心にあるのが、自分自身の都合なのか、子どものことを純粋に考えているか、というところで叱れないお母さんが出現するのだと思います。

また、叱ろうとは思うけれども、いつ、どんなふうに叱ったらよいかがわからない、という悩みをときどきお母さん方からいただきます。このままにしてはいけないことだから叱らなくちゃ、と思いはするけれど、こう言ったら子どもの心に傷をつけるのではないか、とブレーキを踏んでしまい、叱り損なってばかりでストレスがたまるというのです。勉強熱心で、子育てに関する本を読破しているようなタイプの方によく見かけますが、それはおそらく情報過多で、いわゆる「頭でっかち」になっている状況です。

叱るタイミング、叱る言葉は、お母さんの内側から湧き上がってくる価値観で決めればいいだけのことです。子育てに絶対の正解はありません。子どものこと、子どもの将来のことを本当に考えているお母さんなら、自分の直感を信じることが一番いい結果に結びつくはずですし、後悔もありません。それに、基本的な信頼関係のある親子であれば、お母さんの真意は必ず子どもに伝わっています。自信をもって叱ってほしいと思います。

さて、叱り方にはコツがあります。私は「叱り方三原則」と呼んでいますが、「厳しく」、「短く」、「後を引かず」という、この三つが大切だと考えています。

まず「厳しく」ですが、叱るからには厳しくなくてはなりません。子どもが怖がって泣き出すくらいでちょうど良いと思います。それには、いつもいつもキーキーと声を荒げていては効果がありません。普段は慈しみに満ちているからこそ、叱ったときの怖さも増すというものです。また、叱る以上は、腹を据えて面と向かって本気で言わなくてはなりません。これは、叱り手の愛情の深さとエネルギーが必要なことです。

次に「短く」。今、そこでしてしまった過ちについてのみ、短く叱ります。間違っても自分の感情の方が激して、「だいたいあのときだって」などと、関係のない、その子の昔の過失を持ち出したり、自分の不満をぶつけたりしてはいけません。「ナウアンドヒア」という言葉もありますが、今、ここでの過ちについてのみ、短く叱るというようであってほしいと思います。

最後に「後を引かず」ですが、これは短く叱らなきゃ、といったん切り上げたのにもかかわらず、背中から怒りのオーラを発し続けていることが、子どもの改心の思いをつぶしてしまうからです。ガッと叱って涙を拭いたら、「分かったね」と笑顔で解放してあげ、親子共々すっきり次の行動に移りましょう。

ちなみに女性が厳しさを出すためには、声を荒げるのではなく、「一対一の空間で」「声を低めて」「真顔で」「ていねいな言葉で」言うのが迫力が出るようです。

子どもは、親が規準を示してくれるのを待っています。

子どもにいろいろなことを考えさせ、判断させるのはいいことですが、一歩間違うと「自分がもらったカネなんだから何に使ったっていいだろう」と言い張るナイフ少年を作ってしまわないとも限りません。判断の機会は大いに与えても、最終決定権は親が握るという原則を揺るがせないことです。どんなに子どもが決めたことでも、親は毅然とした態度を示してください。「親がダメと言ったらダメ」という関係は、幼い頃にしっかり擦り込んでおく必要があります。

間違ったことをしたときにビシッと叱ってもらえた子どもは、すごくいい気持ちで眠れるし、胸を張って次の日を迎えることができるものなのです。

楽しむ姿を見せる

「これこれやろうか？」と誘うと、「いいね！」と応えるのが、健全な幼児の姿だと思います。

サマーキャンプに連れていって、「滝の方に行こうか」と言うと、「えっ！　いいねえ！」。「虫を見ようか」と言うと、「いいね！」。「森へ行こうか」と言うと、わあっと盛り上がる。これが自然な姿なのです。幼稚園などに行くと本当に実感しますが、元気な子どもたちというのは、必ず「いいね！」と言ってくれるものです。

ところが、ここのところが塞がっている子どもがいます。「いいね！」という勢いそのものがない子です。「やっちゃえ、やっちゃえ」という健やかさが抑えられているようです。

たとえば、妙に醒めている子というのがいます。「この滝には実は妖怪がいてね……」、というような話をしたときに、「そんなことあるわけないじゃん」と一言で受け流してしまう子です。何かゲームをしようと言っても、「そんなの、何の役に立つの？」と乗ってきません。

これは何かと言うと、ちょっと見は大人びているようですが、要するに、イマジネーシヨンが不足している状態です。イマジネーションが足りないから楽しめないのです。この症状が進行して、いろいろなことにトライするのを面倒がるようになったら、かなり危ないと思います。「これこれやろうか?」と誘われても、「まあ、いいや」といった反応しか出てこないようになったら黄色信号です。イメージ力こそが思考力ですから、学力という点でも非常に心配ですし、これから先のこの子の人生を思ったときに、何か悲しそうな姿が思い浮かびます。

こうならないためにどうしたらいいかと言うと、親自身が何かに熱中している姿を見せることが一番大切です。

熱中する対象は、本でも、音楽でも、絵画でも、映画でも、スポーツでも、親自身が愛情を向けて熱中できるものなら何でもいいのですが、数理系の思考力というところに限定して言うならば、ゲーム類が有力な候補として考えられると思います。

ゲームはアルゴをはじめ、トランプ、麻雀、囲碁、将棋、チェス、オセロなど、だいたいどんなゲームでも結構です。また、子どもと一緒に、という必要はありません。単純に親が楽しんでのめり込んでいる姿を見せることが重要です。人生って、ああやって楽しむことがいいんだなあ、と子どもが感じることがよいのです。

なぜかと言うと、子どもというのは言葉に騙されない存在だからです。

子どもはとてもよく親を見ています。「子どもは親の背を見て育つ」と言いますが、一番根本的な、子どもへの対応で大切なことは、彼らは言葉じゃなくて行動を見ているということです。これは、子どもをとらえるときにいつも身を引き締めていなくてはいけないことでもあるのですが、親が行動で示すことについて、彼らは強烈にインプットして、その通りに育ちます。大人の方が、どこか一か所でスタンドプレーみたいにしてカッコいいことを言ったとしても、子どもたちは日頃の行動を見抜いてますから全然通用しません。

たとえば、子どもに読書の習慣を付けさせたいと思ったとします。しかし、「本を読みなさい」と言われて読むようになる子は一人もいません。その代わり、お母さんが本の虫のように読書をする人であったら、子どもは何も言わなくても自然と本好きになります。子どもは「must」では動かないのです。子どもは楽しくないことは絶対やりませんから、その、楽しさを伝える手段として、親が没頭している姿を見せる、というのが意味をもつというわけです。

辞書を引く、ということに関しても同じことが言えます。

この場合は、親自身がわからなかったらすぐ調べるという習慣をもっているかどうかが大切です。ちょっとでも半分かりというか、あいまいにしたら気持ち悪いという体質を親がもっているということです。辞書を引くくらいのこと、これまで習慣のなかった人でも、意識して改めようと思えば改められることのはずなのですが、人生を流していくクセがついていますから、現実には難しいようです。

たとえば、子どもが「○○って何?」と聞いてきたときに、それがわからなかったら、すぐその場で調べているでしょうか。

子どもの「何?」や「なぜ?」、「それどういうこと?」に全部答えられる親は存在しませんが、「何?」という疑問に共感することで子どもは伸びます。ですから、まず、その疑問をきちんと受け止めることが、非常に大切です。でも、生活の中では、忙しくて付き合いきれないという方もいるでしょう。子どもが疑問をもってきたとき、「ああ、いいことに気付いたね。お母さんも本で一緒に調べるから」と、受け止めて共感しているか、振り向きもしないで「自分で調べなさい」と言うだけなのか、そういった行動が子どもからは全部見えています。だから、親が辞書を引く習慣のある家では、子どもも自然に辞書を引きます。引かない家では、どんなに口を酸っぱくして言っても引くようになりません。一回ずつは、ほんのちょっとしたことなのですが、積もり積もってくると、見上げるような差になって現れてきます。

知育という点だけでなく、情意的な部分でも、親がどう行動するかは子どもがどんな方向に伸びていくのかを左右します。

感じる心をもっていることはとても重要なことです。私は、強い人というのは感じる心をもっている人だと思っています。何が大切なのかをわかっているから、つまらないことに動揺しない心を保てるのです。

さて、感じるというのは、対象から情報を得るということです。感性の鈍い人というのは、何でも流して眺めているだけで、対象から何の情報も得てこられないから鈍いわけですね。

親が、「月がきれいだねえ！」などと自然の美しさに感じ入る姿を見せていると、子どもも自然に対して心を開くようになります。親が金銭的な損得勘定にこだわっていれば、子どもも損得に敏感な子になります。

子どもが「この魚大きいねえ！」と驚いているときに、、「本当だ。大きいねえ！」と子どもの驚きに共感してあげると、感じる心はさらに成長します。逆に何の感動もなく「そんなこと決まってるじゃない、マグロなんだから」のような対応をしていると、その子も感動することから遠ざかってしまいます。

子どもというのは、結局、親の枠以上に育つことは決してありません。

生き生きとした知性と感性をもった魅力的な人間に育てたいと思ったら、親自身が姿勢を正し、生き生きと何かに没頭する姿を毎日見せていくことこそが大切なのだと思います。

力の伸びる遊び術

幼児期に何を与えるか

まず、基本的に強調しておきたいことは、幼児期の遊びとして最も優れていて一番大切なのは外遊びである、という点です。まずは、体験して体ごとわかるということが重要なのであって、他のものは外遊びで身に付いた感覚の上に乗っていきます。

最近の子どもたちについて、高学年になってもハサミが使えないとか定規を使って直線がうまく引けないといった手続き的認知能力の未熟や、記名欄や回答欄などにちょうど収まるように文字を書くことができない空間認知能力の欠如が指摘されています。このような力の足りない子は、計算や漢字のような機械的な力はつけられても考える力は伸ばせません。すべて、外遊びや基本的な実体験の不足が原因です。

それから、自由にとことん遊び尽くす経験をもつことが大切です。知力、精神力、体力のどれをとっても、この、遊び尽くす経験が土台となります。声をかけても気がつかないくらい夢中になって遊んでいる子というのは、我々の感覚からすると非常にいいです。後からぐんと伸びてくるタイプの子だと思います。

さて、少子化の影響で、ひとりの子どもの周りにはたくさんの大人がいる、という時代になりました。幼児向け教育産業の世界はまさに百花繚乱といった景色です。将棋の名人もやっていたという○○式を筆頭に、看板にキャラクターを配した幼児教室、右脳教育、果ては英会話まで流行中だとかいう話も聞きます。

ご両親の考え方がありますから、お教室に通うかどうかも、どんなテーマのお教室を選ぶかも、それぞれでいいと思いますが、ひとつだけ思うことは、後からでも間に合うものにそれほど必死になる必要があるのかな、ということです。

たとえば、英会話のことで言うと、私の友人で商社だったり外務省だったり翻訳だったり通訳だったり、英語で「食っている」人間がたくさんいるのですが、彼らがいつ英語を始めたかというと、中学一年です。幼いほど耳がよくなる、という話も聞きますが、それを本当に検証した論文を見たわけではないのでよくわかりませんが、彼らが別に困りもせず、みんなきちんと仕事をしている様子を見ると「間に合ってるじゃない」と思うのです。

幼児期にできることには限界があります。計算や英会話も結構ですが、中二の二学期までに全員ができるようになることにお金をかけ、時間をかけ、心を費やす必要があるでしょうか。また、子どもの方から楽しんで取り組んでいるうちは、まだいいと思いますが、通わせているうちにお母さんが必死になりすぎて子どもを勉強嫌いにさせてしまう恐れもあります。お教室に通わせている親側の動機として、親自身の勉強に対するコンプレックスがあるような場合は、そうと言わなくても幼児は敏感に感じ取りますから、同じように勉強嫌いに育っていくことだってあるのです。

後からでは間に合わないものがあります。大きく分けて、「見える力」と「詰める力」というのがあるわけですが、特に、この見える力というのは実際の体験がベースとして絶対必要で、外遊びや体験そのものでしかなかなか伸びるものではないのです。しかし、幼児のときに外遊びをしなかったら、いったいいつ、外で走り回ることができるでしょうか。

思考力、イメージ力の基礎を幼児のとき築いておかなかったら、後から伸ばすことはできません。幼児期でなければできないことを幼児期に行ってきたかどうか。泣いたり、笑ったり、ケンカをしたりすることも含めて十全な幼児期を満喫してきたかどうかこそが、十年後に思考力の差となって現れてきます。

そういったことを踏まえて、次から外遊びに加えて楽しめるような、子どもの力を伸ばす遊びを紹介していきます。

家の中で遊びとしてやってできる、しかも紙と鉛筆くらいあれば十分だというものがいろいろあります。あらかじめ言っておきたいのは、「さ、お勉強よ」と与えるのではなく、生活の中で、遊びとして自然に楽しむことが大切だということ。ところが、これこそが「保護者の実力の差」で、どこかに勉強の力を伸ばしたい臭いがすると、もう子どもは嫌になります。保護者の芸風が問われるのです。

ダイジェストで紹介していきますので、お母さん、お父さんの工夫を加えながら、親子で楽しむ時間として有効に活用していただければと思います。

お子さんの能力が十二分に育ち、素晴らしい仲間に囲まれて生き生きと毎日を楽しむ魅力的な人間として、将来に見事な花を咲かせることをお祈りしております。

図形センスに関わるゲーム

図形センスを伸ばす遊びとして、まず第一に推奨したいのは積み木遊びです。パズルに入る前に、じっくりと形そのものを手で触り、扱う体験を十分させてあげてください。

積み木は、色が付いたり特殊な形をしているようなものより、単純に、立方体、直方体、四面体、三角柱、円柱、球くらいのバリエーションしかないような素朴なものの方が、「見立て」という遊び方が楽しめるので、むしろ好ましいと考えています。

さて、図形センスで大切なのは、全体の形の中から、いま必要な図形だけがパッと選択的に見える能力です。これが、「見える力」の典型的な能力とも言える、補助線が見える力として顕れてくるわけです。その原体験となるようなパズルを紹介します。

時間をかければ誰にでもできるものですから、スピードを競うような与え方をするとよいでしょう。

また、既存の遊びとしては囲碁がお奨めです。アニメの影響で、最近では小学生でも楽しんでいる子が多いそうです。非常に頼もしいと思います。

正方形はいくつある？

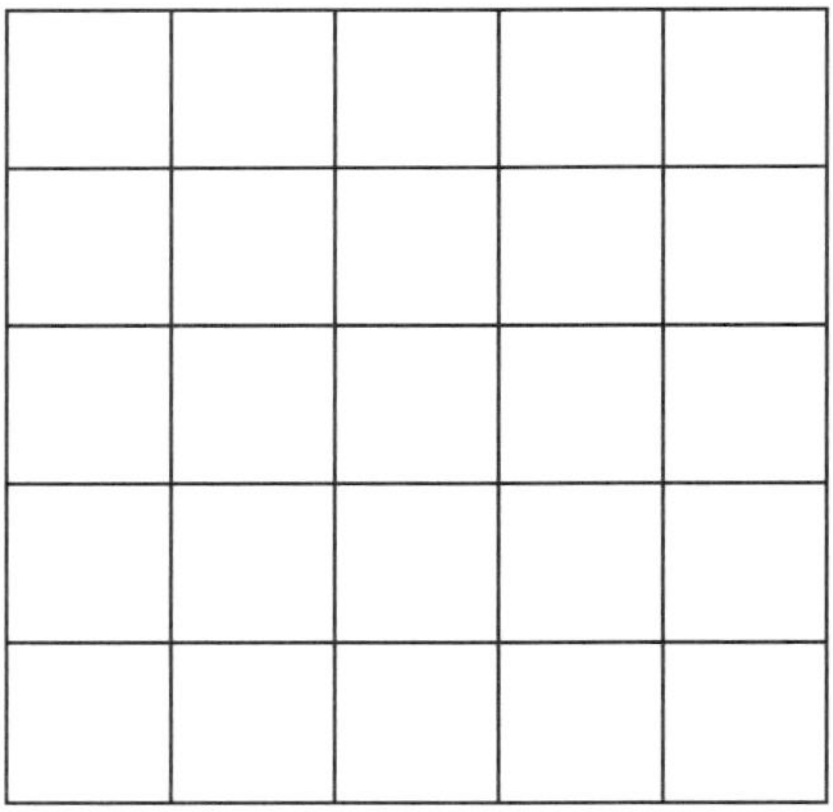

●ゲームのポイント
見つけた正方形の辺をなぞりながら数えてもよい。
全体を漠然と見るのではなく、
いま見たい図形だけを浮き上がらせ、
選択的に見る能力を高める。
ちょっとした時間つぶしなどに親子で楽しみたい。

△はいくつある？

●ゲームのポイント
求められている図形だけを選択的に見る能力を高めるドリル。
図形センスのある子なら、三角形と言われたら、
三角形だけが浮き上がって見える。
複数の子どもたちに速さを競わせると盛り上がる。
ゲーム感覚で行うことがポイント。

空間認識力に関わるゲーム

空間認識で大事なのは、空間を空間そのものとして頭の中で再構成できる能力です。映画の「マトリックス」ではありませんが、立体的なモノを、自由自在に頭の中でくるくる回して、「ああ、こっちから見るとこう見えるのか」と、そういうことが、できる子はできます。これは、外遊びを筆頭とした体験でしか絶対に伸ばせない力です。

それと、もう一つ大事なことがあって、将来すごく求められる、見取り図・展開図・断面図・投影図、という四つの平面図の概念というかイメージを頭の中にしっかりもたせなければなりません。これも体験的な活動を通してしか伸びていかない力ですが、家の中で手軽に楽しめる遊びとして、自然まんまの形より、もっとピュアなものとして提示することが可能です。

既存の遊びとしては、折り紙や粘土遊びが空間認識力を育てます。ただし、折り紙は手順を覚えた後は機械的になぞるだけで頭の方は使っていないケースもありますから要注意です。雑誌の付録に付いてくるような紙工作は、展開図を身をもって知る体験と言ってよく、非常に効果的だと思います。

早描きキューブ
1分間に何個描けるかな？

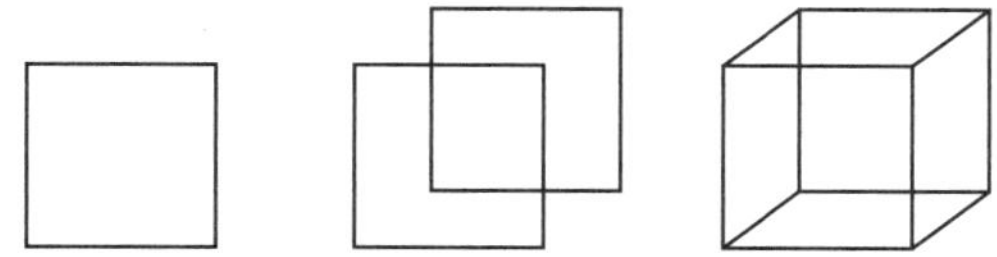

ましかくかいて　ましかくかいて　むすんで、
むすんでサイコロだ

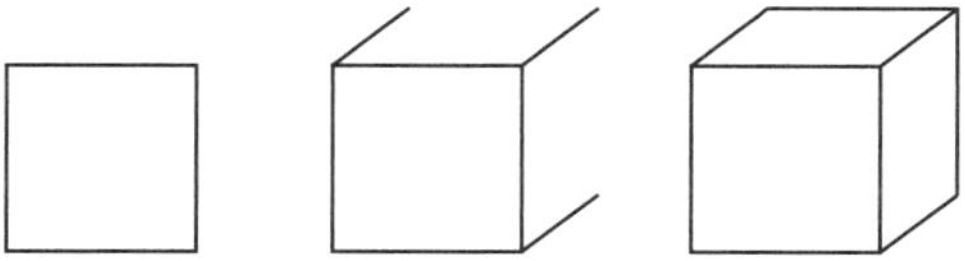

ましかくかいて　ななめ、ななめ、
ななめ　むすんで、
むすんでサイコロだ

●ゲームのポイント

見取り図で大事な基本は何かというと、たった1個のサイコロが立派に描けるということです。サイコロ感覚がきちっとできた子は、頭の中に座標軸が作れます。

サイコロが正確に描けない子は、頭の中でもやっぱり座標軸がずれて、描いている図の再現すら危うかったりします。

逆描きキューブ

後ろから見たらどんな形かな？

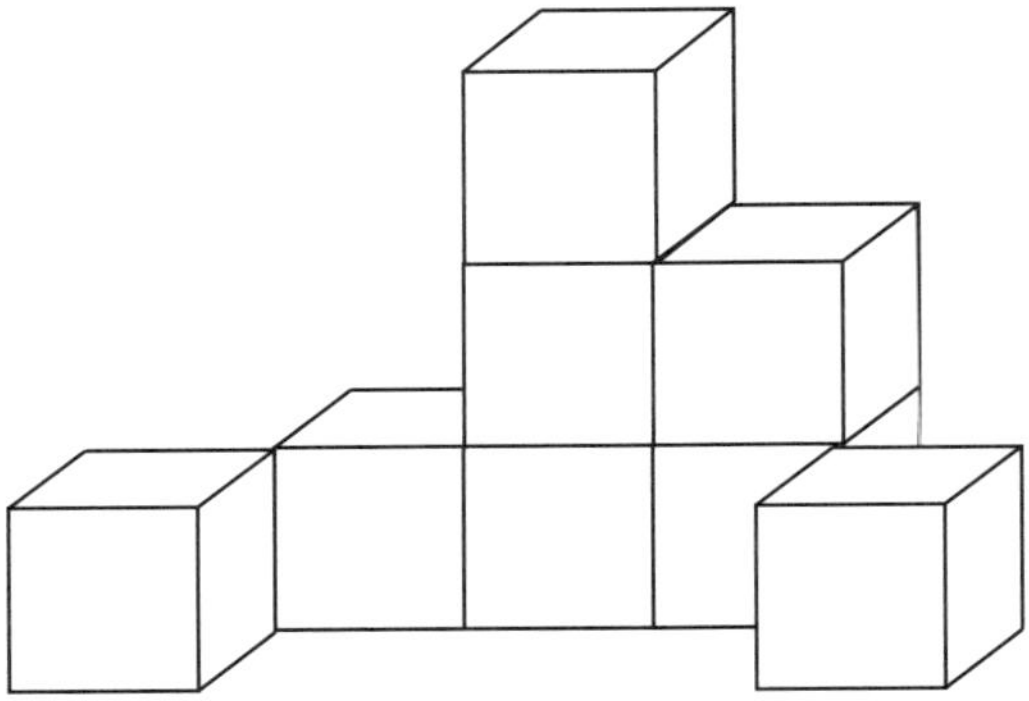

●ゲームのポイント

見取り図そのものを描かせる問題は、やってみればわかりますが、案外難問です。詰め込んだ知識ではなく、見える力だけを純粋に測ろうとするねらいと理解してよいでしょう。

紙工作

組み立てたらどんな形になるかな？

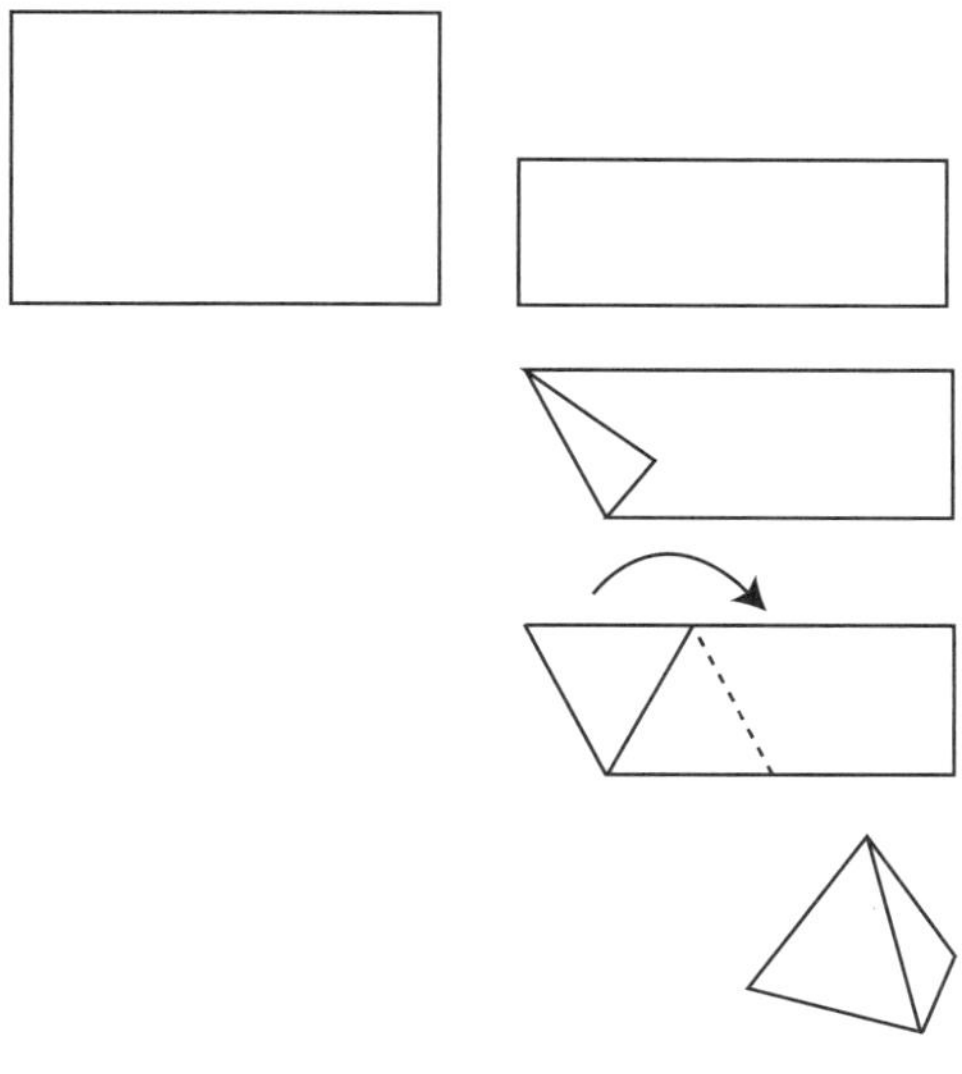

●ゲームのポイント

これは、展開図を理解する遊びです。

普通のコピー用紙を横に二等分してから三角定規を使って正三角形を折っていき、最後に端を折り込むと正四面体ができます。それを広げると、折った跡が残っています。これが展開図です。

雑誌の付録でも、折り紙でもできます。いらないお菓子の箱などを辺で切り開いてもいいでしょう。

かげ絵

かげの持ち主はどんなモノ？

●ゲームのポイント

これは投影図そのものです。

ちょっとした白い幕を張り、後ろ側から形を見せ、それが何かを当てるゲームです。普通の、「犬」とか「わし」といったかげ絵からスタートし、具体的な家の中にある物に発展させていきます。真横から、真下から、真上から、など普段あまり意識的に見ていない形から見せていくと意外性があって喜びます。

（答え/茶筒）

羊羹切断！

断面はどんな形になるかな？

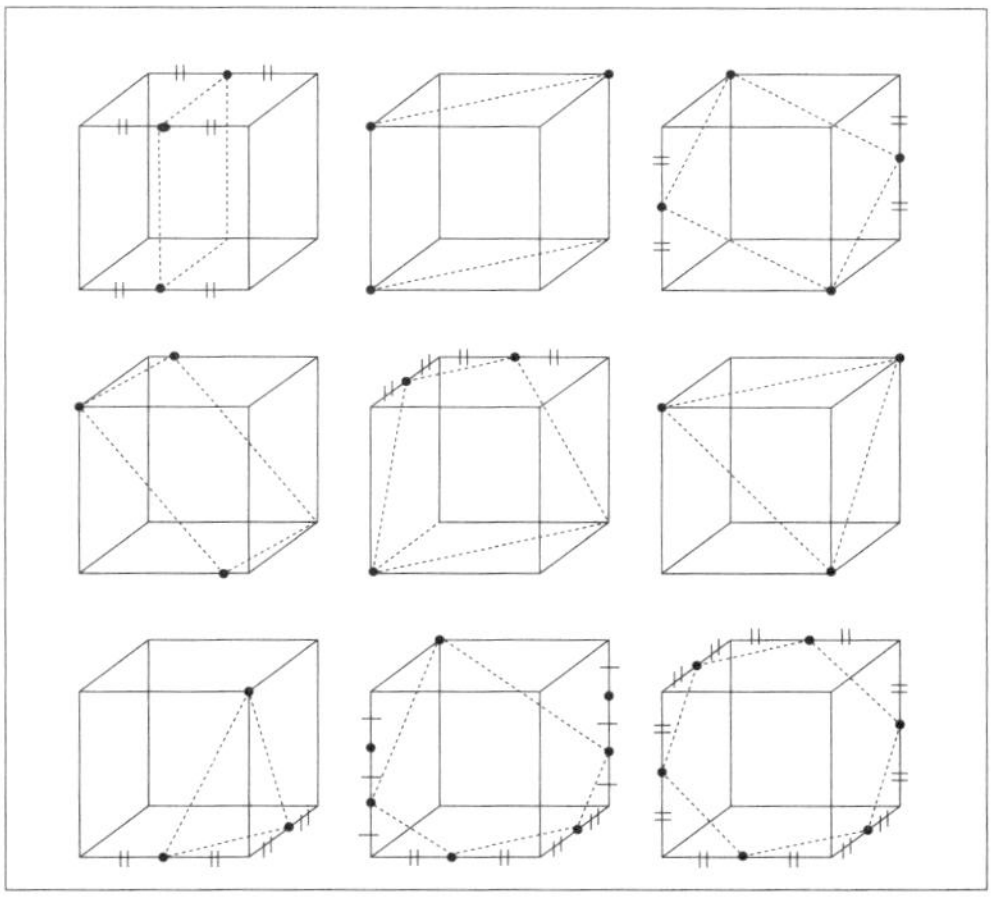

●ゲームのポイント

断面図というのは、実際に切ってみないとわからないということが重要です。

これは、立方体の性質として、切り方次第で、直角三角形以外の、ほとんど全ての形を出すことができることを利用したゲームです。キューブ状に切った羊羹（大根や人参でもよい。豆腐は形が崩れるので不可）を上記の点で切断したときの断面図を予想させましょう。当たった人が食べていい、などのルールを作ると、子どもは燃えると思います。

数理系センス全体に関わるゲーム

数の概念の導入時期で大事なことは、「音から入る」ことです。ペーパーから入って、数字の読み書きや「3と5でいくつ」のような計算にフォーカスすると失敗します。ファーストステップは必ず数唱から入ってください。数唱というのは、「いち、に……」と言えることで、「57、59」のような飛びなく、百までを完璧にするのが大切です。お風呂の中で百まで数えて、というのはとてもいいです。暑いからすごいスピードで言ったりしますが、それも大事な経験です。

次の段階は、数え上げです。数学オリンピックで好成績をおさめた子のお母さんに幼児期の話を伺うと、「うちの子は小さいときいつも外に出ると車が8台あるとか、電車を見ると『十両編成だね』とか数える子だった」と聞くことが多いのですが、これこそが生活の中の数え上げ体験です。小学生になっても指を使わないと計算できない子がいますが、これは素体験として数え上げの経験が不足しているわけです。数え上げの対象は、おはじきだと胡散臭いですから、生活の中に自然にある物がよいでしょう。または、散歩の途中で電線に鳥が止まっていたら、全部で何羽？　のように聞いてみるのも楽しいと思います。

生活の中のシェア

「そのミカン、みんながケンカしないように
わけてくれる？」

●ゲームのポイント
数え上げ体験は大切ですが、「さあ、これを数えなさい！」と命令口調で言われたら、子どもは嫌になってしまいます。買い物に行ったときに一緒に数えるとか、お菓子を家族の人数で分けさせるなど、お手伝いとしてやってもらうと大喜びで数えます。また、「全部で28個だったけど、５人で分けたらひとりが５個で、３個余っちゃった」と言ったとすれば、「余りのあるわり算」を、身をもって体験したことになります。

数え上げ競争

「おさらのマメ、いくつあるかな？
よーい・どん！」

●ゲームのポイント
数え上げそのものをゲームにします。

兄弟や近所のお友達とマメやキャンディーを数えます。１分以内にいくつ数えられるか、でもいいし、よーいどんで数え切るまでの速さを競うのでもいいです。単純なゲームですが、子どもは、意外なほどに夢中になります。

数字ビンゴ

（条件付けの例）

「１から９までの数」「１～20までの偶数」

「48の約数」「50までの九九に出てこない数」等

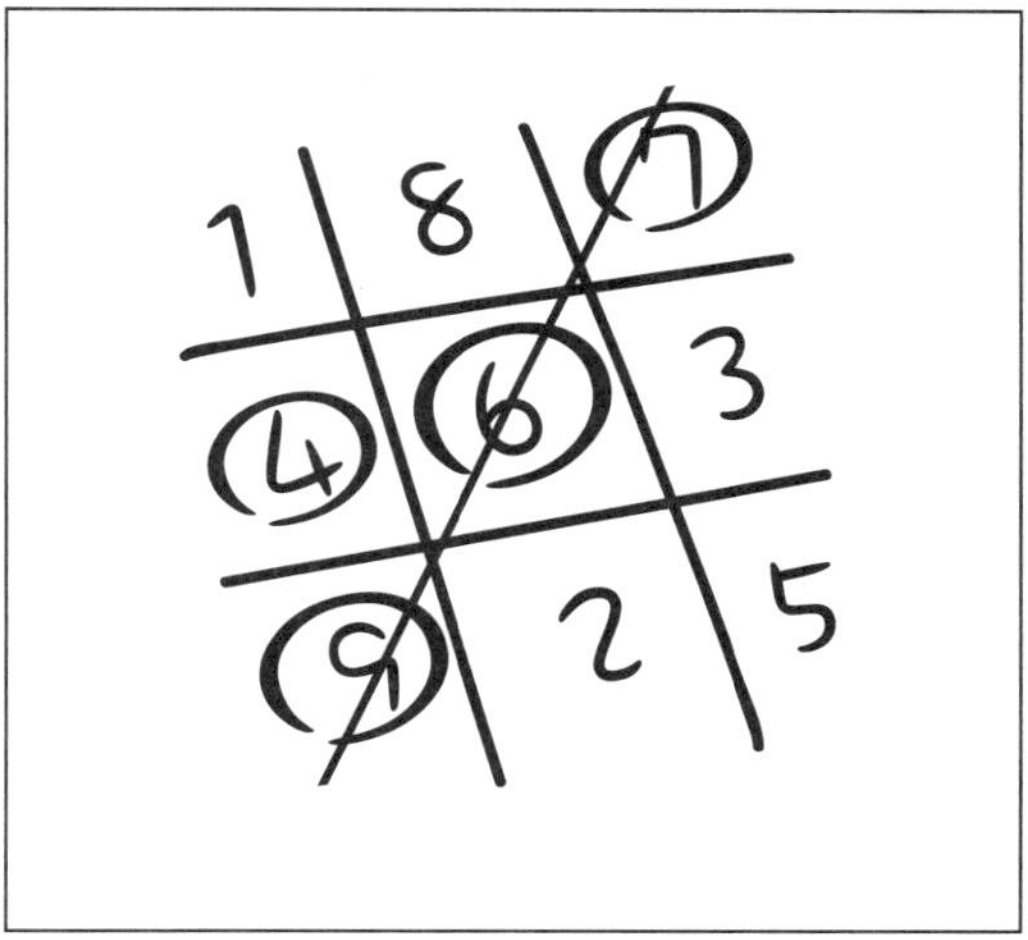

●ゲームのポイント

何か決めるときにじゃんけん代わりに使います。

紙に３×３の９マスを作り、数字を入れ、言われた数からつぶしていって、タテ、ヨコ、ナナメの３マスが揃う早さを競います。偶然性があるので、誰でも楽しめます。

学年が上がって行くにつれて、入れる数字に条件を付けていくと良いと思います。「時計の文字盤に出てくる数」、「50までの九九に出てこない数」、「偶数」、「奇数」、「48の約数」、「３で割ったら１余る数」、「素数」などテーマは無限です。

更に盛り上げたいときは、何かきちっとしたルールを決めてすると喜びます。リーチ、と手をあげて言わないとビンゴで出てきても無効とか、リーチの人は正座するとか、ちょっとしたルールを入れてあげることが子どもは大好きなようです。

たして５，たして10

「３？」「７！」

「６？」「４！」

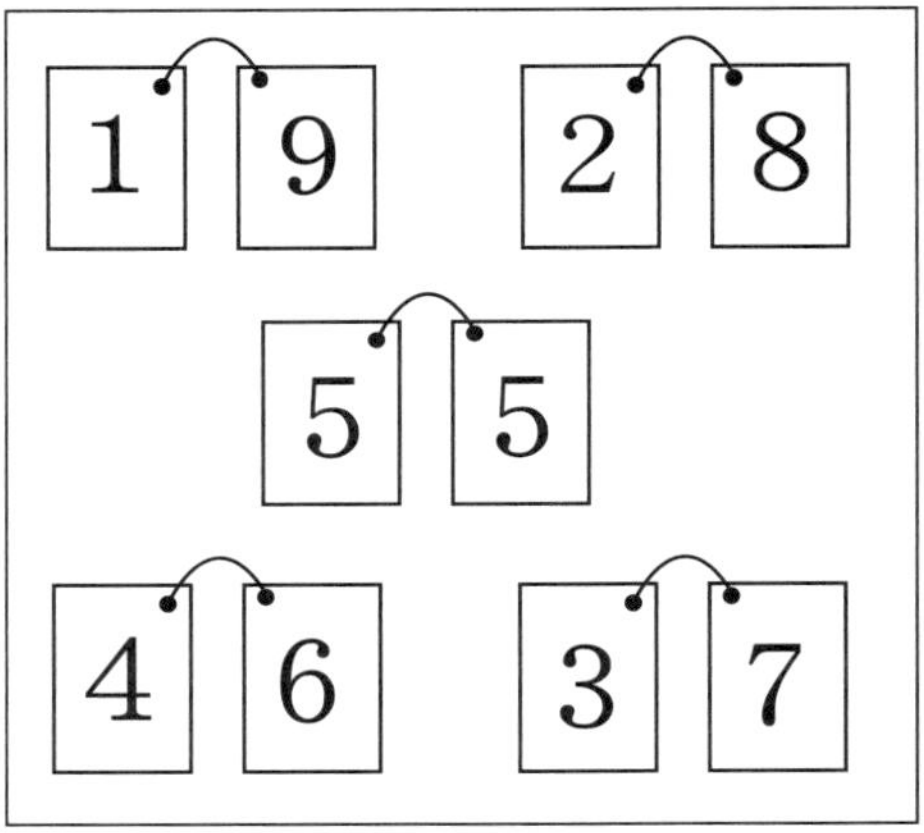

●ゲームのポイント
足して10を意識するのは、計算力の基礎の基礎です。「４」といえば「６」、「８」といえば「２」のように、ぽんぽん言えるようになるといいと思います。

まずは10です。力がついたら「足して５」もよいでしょう。

４とか６とか、中途半端な数は、必要度がガクンと落ちます。

ナンバープレートゲーム

「右の数字と左の数字をそれぞれ足して、
同じ数になったら優勝ね」

●ゲームのポイント
ドライブに行ったときなどに、他の車のナンバープレートの数字で遊びます。この例の他にも、高学年だったら４つの数字を足したり引いたりかけたり割ったりして10にするとか、バリエーションをいろいろ考えてみてください。４桁の数というのは　それだけで一冊の本になるくらい遊びがいっぱいあります。切符についている４桁の数字でも同じようにして遊べます。簡単にしようと思えばいくらでも簡単になるし、高度にしようとすればいくらでもできるのがいいところです。最初の段階なら、ゼロが２つ入っているのを見つけたら勝ち、でもいいです。

ドライブのときは時間があるので、その時間を有効に使うといいですね。親子の会話の時間にしてほしいです。最近はテレビを見てる人が多くて、もったいないと思います。

論理性に関わるゲーム

論理性のコアは「必要条件」と「場合分け」です。ある種のひらめきの門をくぐったあとは、それをきちんと積み上げて行けば　必ず答えに行き着くのが数学です。必要条件というのは、与えられた条件が正しいなら必ずこうでなくてはならない、と絞り込んでいく考え方です。で、そこで突っかかった場合、これとこれとこれの場合しかないから、それぞれについて考えてみよう、というのが場合分けです。

だから、数学で一番大事なのは、まず、これは間違いなく決定したことだと押さえて、絶対にわかるところから手を付けるということです。ここで、片っ端からヤマカンで解こうとする子は、筋が悪いと言えます。必ずこうだと決定しないことを決定したかのように踏まえて先に進むからうまくいかないのです。

既存のものでは、アルゴを始め囲碁や将棋、オセロなどは論理性を伸ばすのに非常にいいのでお奨めです。レベルにもよりますが、相手が子どもだからと言って手加減せず、最初にハンディを与えた上で、親の方も全力でぶつかった方が子どもの気持ちがいい場合が多いようです。また、負けて大泣きするような子は後伸びするタイプと言えます。

マッチ棒パズル
1本取って、正方形を３つにする

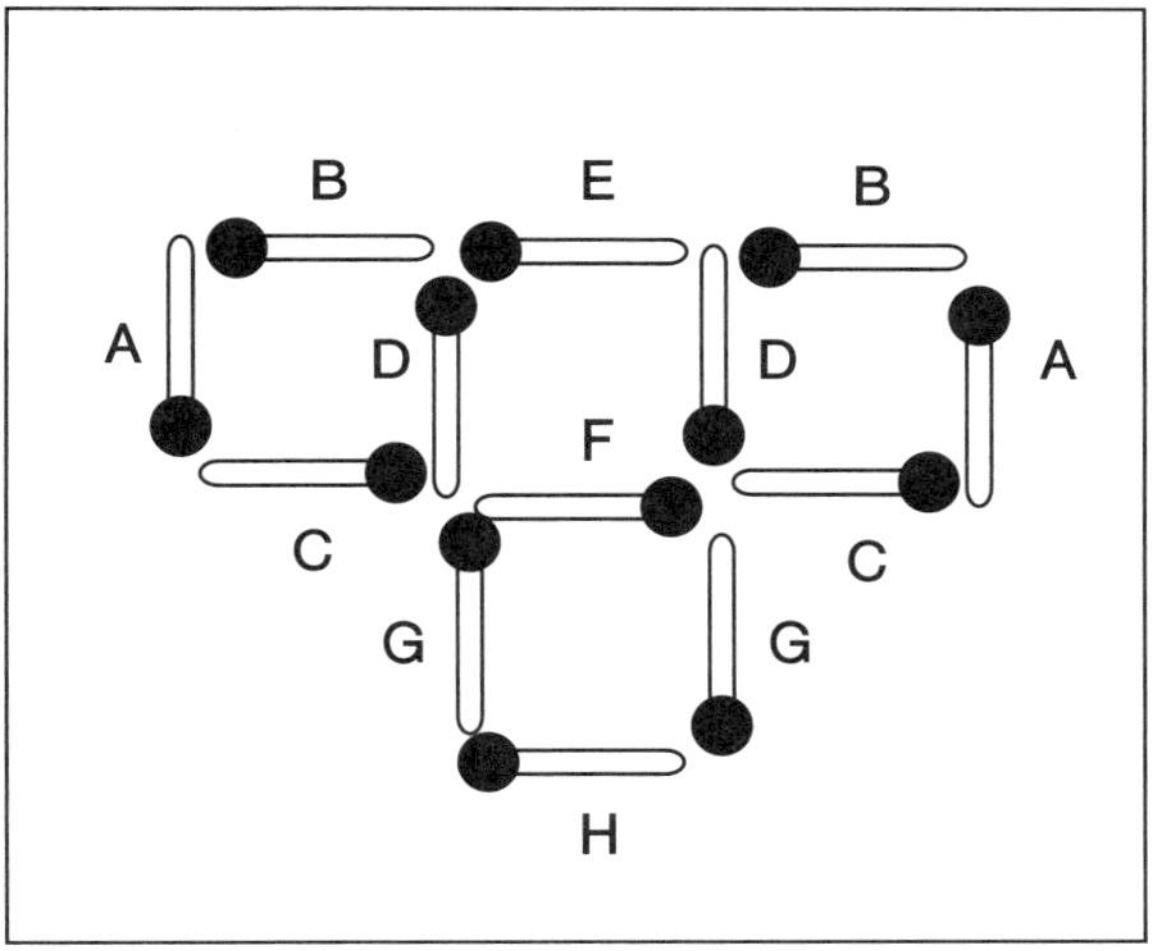

●ゲームのポイント

よくあるマッチ棒パズルですが、考え方に論理力の筋の良し悪しが表れます。幼児期はひたすら片っ端から実験してみることも大事ですが、高学年以降ともなれば、対称性に注目して、「Ａ～Ｈの８パターンを試すだけなんだな」としぼりこんで考えて欲しいものです。

ナンバーリンク

○の中の数字の本数だけ、○から線を引いて
たて、よこ、ななめ隣の○とつなげます。

ただし、線同士が交わってはいけません。

●ゲームのポイント
論理の２つの柱である「必要条件」と「場合分け」がどんなことかということを、確実に教えてくれるゲームです。

解き方としては、確定しているところから攻めていきます。たとえば、隅の３、辺の５というのがあれば、まずそこが確定します。ここに数学で一番大事なものがあります。絶対に間違いのないことのみを積み重ねていく、というセンスです。

こういうものの考え方をできるかどうかで将来の伸び方がまるで違ってきます。非常に簡単に作れますから、是非試してみてください。低学年までは３列×３段、高学年になるに従って列数、段数を増やしていくといいでしょう。

スクエアパズル

数字で指定された数だけ小さい正方形を囲んで
正方形または長方形を作り、
大きい正方形を完成させる。

		2	
	4		2
2		6	

●ゲームのポイント
ナンバーリンク同様、これも絶対に確定しているところから解いて行きます。解こうと思った瞬間に頭の中で場合分けが始まっています。

ナンバーリンクとスクエアパズルは、簡単に作れて、しかも「場合分けと必要条件で攻める」ということが子どもの身に付きやすい、という点で非常にお勧めのゲームです。

〈ナンバーリンク、スクエアパズルの解法、作り方〉

これらのゲームは市販でもありますが、作るのはとても簡単なので、ぜひお母さんに作っていただきたいと思います。

絶対に分かるところからやっていく、というセンスを養うには、この２つのパズルが最適だと思います。

数学は、力ずくで適当にやらないというのが一番大切で、それが身に付けば、大きな力になります。

人生そのものと同じで、適当なものをいいかげんに積み上げても何にもなりません。スタートを間違えたなら、すべてやめてゼロからひとつずつ積み上げていった方がずっと近道なのです。

（１）適当に正方形または長方形で囲む。

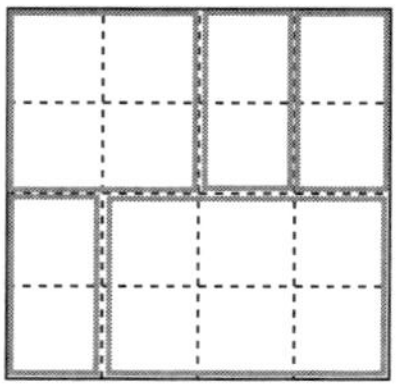

（２）数字を書き入れて、これが解答。

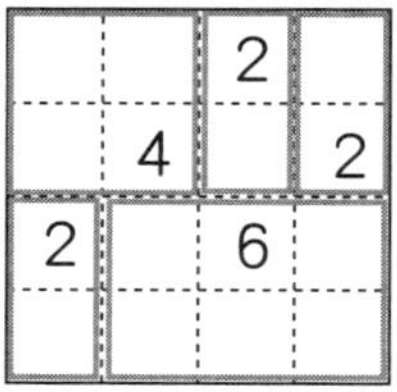

（３）囲みを削除したものを新しい紙に写すと、これが問題。

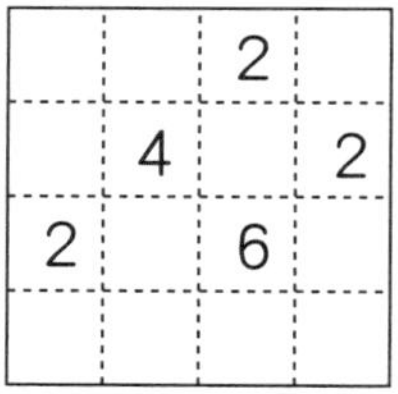

（１）○を適当につなぐ。

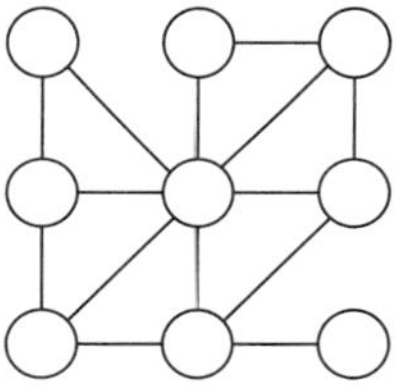

（２）つないだ本数を○に書き入れるとこれが解答。

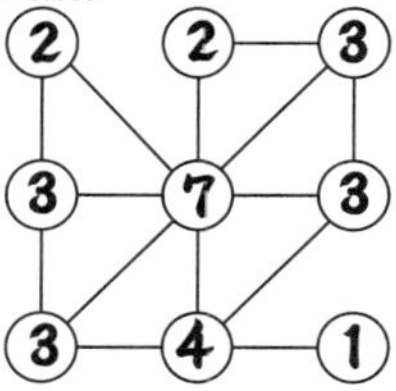

（３）棒を削除したものを新しい紙に写すとこれが問題。

精読力に関わるゲーム

精読の力というのは、学力・成績と直結しています。本はいっぱい読んでいるのに文章題が解けない、という嘆きは、実はここに原因があります。精読力は、イコール集中力と言ってもよく、一字一句見逃さない読み方というのが大事です。

また、問題が解けないもっと大きな理由の一つに、要約力がない、ということもあります。これを伸ばすためには、テレビでも本でも見たときに、「いまの、どんなお話だった？」と一言で言わせるようにします。バラエティなら、どこが面白かったか言わせます。もし見当違いなことを言っていたら、優しく直してあげてください。別に頑張らなくていいので、家族の会話のひとつとして取り入れるといいと思います。

なお、ついでに国語力のことでひとつ書きますと、幼児なのに漢字をいくつ知っているというようなことは余り意味がありません。就学前までにしなくてはならないことは、自分の名前が立派に書けることだけです。この「立派に」というのがポイントで、つまり、トメ、ハネ、ハライはもちろん、バランスや筆順も正確に書けるようにする、ということです。ここに漢字学習も含め、文字の学習に必要なすべての要素が入っています。

音読打率ゲーム

適当な50行くらいの文章を読ませて、読み違いがあるとか、入っていないテニヲハがある、つかえた、言い間違いなどのミスを全部チェックしていき、行数分の間違いの個数を競うゲームです。これは、ある種のモードに自分をもっていかないとできないことですが、それが問題文を読むということなんだと教えるのに最適です。

算数系は得意なんだけど国語は……と言ってる子、図形は得意だけど長い文章題はダメなどいつもケアレスミスをするような子は、ここにドンピシャで当たります。やれば必ず伸びる力です。大人でも結構厳しいと思いますから、親子でわいわいと競争してみてはいかがでしょうか。


ホモイが、おとうさんやおっかさんや、うさぎのお医者さんのおかげで、すっかりよくなったのは、すずらんにみんな青い実ができたころでした。

ホモイは、ある雲のない静かな晩、はじめてうちからちょっと出てみました。

南の空を、赤い星がしきりにななめに走りました。ホモイはうっとりそれをみとれました。するとふいに、空でブルルッとはねの音がして、二ひきの小鳥がおりてまいりました。

大きい方は、まるい赤い光るものを大事そうに草におろして、うやうやしく手をついて申しました。

「ホモイさま。あなたさまはわたしども親子の大恩人でございます。」

ホモイは、その赤いものの光で、よくその顔をみていいました。

「あなたがたは、先頃のひばりさんですか。」

母親のひばりは、

「さようでございます。先日はまことにありがとうございました。せがれの命をお助けくださいましてまことにありがとうぞんじます。あなたさまはそのために、ご病気にさえおなりになったとのことでございましたが、もうおよろしゅうございますか。」

親子のひばりは、たくさんおじぎをしてまた申しました。

「わたしどもは毎日このへんを飛びめぐりまして、あなたさまの外へおいでなさいますのをおまちいたしておりました。これはわたしどもの王からの贈り物でございます。」といいながら、ひばりはさっきの赤い光るものをホモイの前に出して、うすいけむりのようなはんけちをときました。それはとちの実ぐらいあるまんまるの玉で、中では赤い火がちらちら燃えているのです。

ひばりの母親がまた申しました。

「これは貝の火という宝珠でございます。王様のおことづてではあなたさまのお手入れしだいで、この珠はどんなにでもりっぱになると申します。どうかお納めをねがいます。」

ホモイは笑っていいました。

「ひばりさん、ぼくはこんなものいりませんよ。もって行ってください。たいへんきれいなもんですから、みるだけでたくさんです。みたくなったら、またあなたのところへ行きましょう。」

ひばりが申しました。

「いいえ、それはどうかお納めをねがいます。わたしどもの王からの贈り物でございますから。お納めくださらないと、またわたしはせがれとふたりで切腹をしないとなりません。さ、せがれ。おいとまをして。さ、おじぎ。ごめんくださいませ。」

そしてひばりの親子は二、三べんおじぎをして、あわてて飛んで行ってしまいました。

問題作りを楽しむ

最後に、「問題作り」です。

私が現場でいろいろな学年の子を指導しながら考えた、理解度指数があります。「分かった・理解した」といっても、その中身（理解の度合い）には階層があって、浅い理解ではすぐに忘却し、定着などおぼつきません。さて、その理解度指数はこうです。

理解度指数1　聞いてフムフムと分かる。

2　自分で解ける。

3　自分でスラスラ解ける。

4　人に教えられる。

5　複数の人前で教えられる。問題が作れる。

授業もよく聞けない子は、1すら危ないのですから論外ですが、自分では、先生の授業を聞いて「分かった」つもりになっているけど、宿題をやってみたら解けなかったというような子は、たくさんいます。まあ、指数3まで行けば、学校のテスト程度では苦労はないでしょうが、「本当に分かっている」と言えるのは、4の段階からです。人に説明し納得させるには、全体を構造化したりポイントを絞るなど、全く別の創造的な知的活動が必要です。ぜひ、この段階を目指してほしいと思います。日ごろから、分かったと本人が言っている問題を「説明させる」習慣を作るといいでしょう。ただし、保護者が感情的な介入をしてしまうと台無しですから、気をつけてください。

5ができてそれを職業にしている人を、一般に「教師」と呼ぶのですが、究極はこのレベルを常に目指してほしいと思います。私の経験では、年長さんくらいで「迷路を解くことが好き」を通り越して「迷路を造るのが好き」になった子は、6年後、9年後の受験実績も錚々たるものがありますし、数理的思考力が大きく育った子が多いと感じています。

どんなパズルでも問題でも、「自分で作る」醍醐味を知ると、作成者側の大変さや面白さを知り、他者性や「作問のねらいに対するアンテナ」が発達するのでしょう。

以下に示すのは、花まる学習会と算数オリンピック委員会が協力して開催している、低学年生のための数理的思考力の教室「アルゴクラブ」で、日ごろ行われている「詰めアルゴ」という遊びをお手本に、実際に小学二年生や三年生の子どもが作った問題です。問題作りを、遊びとして取り組めれば、素晴らしいと思います。

子どもの作った「詰めアルゴ」

１から６までの白いカードと、１から６までの黒いカード、合計12枚があります。４人が３枚ずつ配布されて、伏せて自分の前に並べました。

並べ方のルールは２つだけです。
1．数の小さいカードが、自分から見て左側になるように並べる。
2．黒と白の同じ数が来たら、黒を左に並べる。

（問題）まさのぶ君は自分のカード３枚と、向かい側の仲間の１枚だけを知っています。残りのすべてのカードが何の数なのか、当ててください。

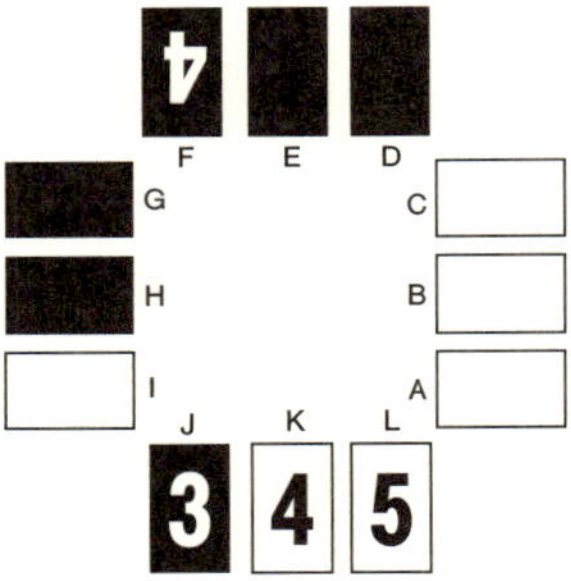

3年　さとうりょう君の作品

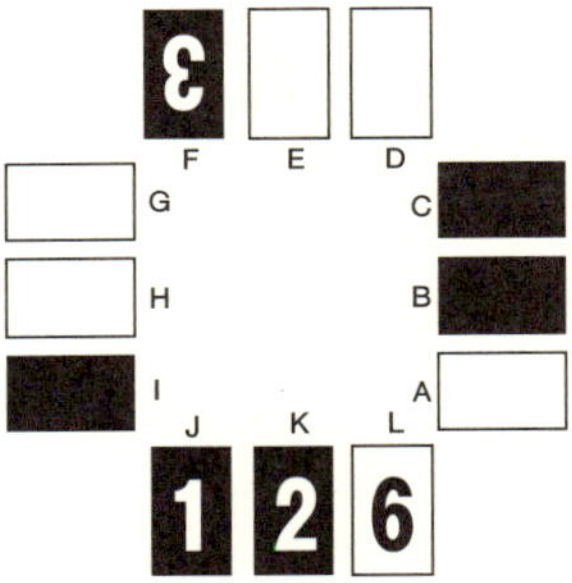

2年　おおばさきさんの作品

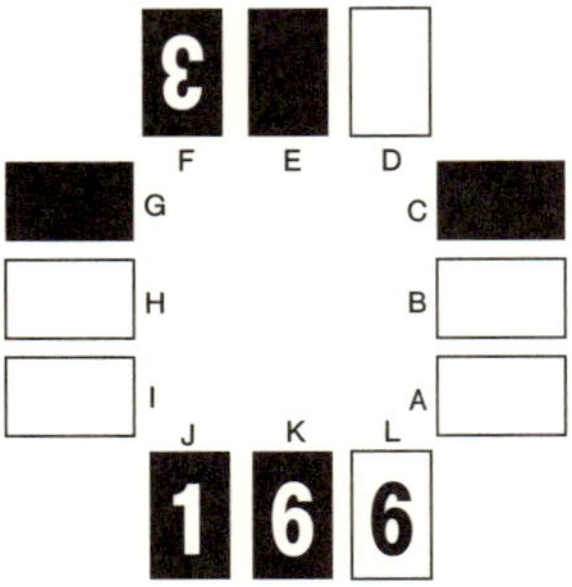

2年　なかやまかいと君の作品

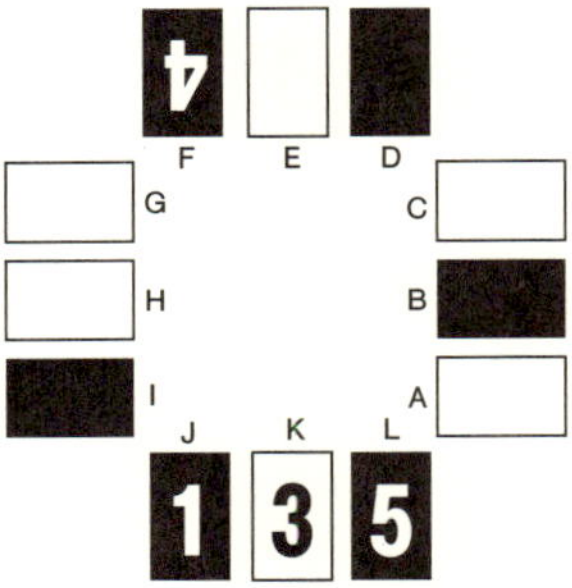

2年　せきねえみりさんの作品

アルゴ……アルゴは、算数オリンピック委員会（会長：広中平祐京都大学名誉教授・文化勲章・フィールズ賞受賞）、東京大学数学科の学生有志、第一回数学オリンピック優勝者で、大道芸人としても著名な数学者ピーター・フランクル氏らが共同で発明・開発したゲーム。

相手の持っているカードの数字を当てるという、シンプルで簡単なルールでありながら、プレーするうちにゲームの面白さと奥深さに驚く。遊べば遊ぶほど集中力・記憶力・分析力が身につき、論理的思考能力が向上し、子どもから大人まで脳のトレーニングに役立つという。

アルゴクラブ公式ホームページ　http://www.algoclub.com

あとがき

この本を読んで、3年生までに「育ち終わる」としたら、高学年以降は、何をやればいいのかという疑問を持たれた方もいるかもしれません。確かにある種の能力は、間違いなく3年生くらいまでに育ち終わります。しかし、より高度で複雑な論理力などは6年生くらいでグーンと伸びますし、やるべきことはたくさんあります。その最たるテーマは「学習方法」です。山ほどの演習問題を解くばかりで、振り返りや復習のない学習では、努力が無駄になってしまいます。できなかった問題を、次にできるようにする自分なりの学習サイクルをしっかり身につけることが目標ですが、その内容については、次の機会に詳しく述べることにします。

この本は算数・数学の「思考力」に焦点を当てました。そしてそれは、巷に流布する計算教材ではなく、生活と遊びの中に、伸びる鍵があることを示しました。主張を明示するために、分析的に書きましたが、「見える力」を伸ばす経験も「詰める力」を伸ばす経験も、一つの外遊びの中に、シチューのように混在して全てあると思います。

一番大事なことは、主体性です。
自分でやりたいと思って、自分でやってみて、
我を忘れて熱中し、失敗したら自分で何故だろうと考え、
自分で教訓を引き出し、
成功したら、間違いない自分の喜びとして満喫する。

そのように、主体的に遊びつくす時間を大事にしてほしいと思います。受験であろうが、仕事上の課題であろうが、主体的になれる人だけが、創造的で意義ある成果を生み出すことができるからです。

最後になりましたが、この本は口述筆記をライターの大野愛子さんに一旦まとめてもらい、それに私が朱を入れて仕上げるという形を取りました。大野さんありがとうございました。そして、遅筆でどうにもならない私に、このような救済の手法を提供してくださった、健康ジャーナル社の高野達也さん、粘り強く叱咤激励してくださった担当の吉澤茂さん、ありがとうございました。

高濱正伸

●著者紹介

高濱正伸（たかはま・まさのぶ）昭和34年、熊本県生まれ。東京大学・同大学院修士課程卒業。学生時代から予備校等で受験生を指導する中で、学力の伸び悩み・人間関係での挫折とひきこもり傾向などの諸問題が、幼児期・児童期の環境と体験に基づいていると確信。1993年２月、小学校低学年向けの「作文」「読書」「思考力」「野外体験」を重視した学習教室「花まる学習会」を、同期の大学院生等と設立。算数オリンピック問題作成委員・決勝大会総合解説員を務め、スカイパーフェクTVの中学生の数学講座講師も務めた。また、埼玉県内の医師やカウンセラーなどから組織された、ボランティア組織の一員として、いじめ・不登校・家庭内暴力などの実践的問題解決の最前線でケースに取り組んでいる。

●花まる学習会

1993年、「機械的な計算指導をもって幼児指導をうたう」既存の塾へのアンチテーゼとして、思考力・作文・文章題が中心で、学ぶ意欲を伸ばす「低学年向け教室」を埼玉県で開き、これが現在の「花まる学習会」に発展する。20数名からの出発が、現在では在籍者は1,000名を超える。

小学３年生までは、幼児の本質を見据えて、一斉で群れになるからこそやる気を引き出させる、暗唱・ゲーム性などを積極的に取り入れ、「学ぶ楽しさ」を育むことに、また４年生以降は、じっくり考える本格的な思考力問題を中心に、語彙などの知識ノート、できなかった問題から教訓を引き出す復習ノートの作り方など、「学習の仕方」を身につけることにそれぞれ重点を置いて指導する方法が、子ども、保護者からの熱い支持を呼んでいる。

思考力・作文・文章題といった、手のかかる分野こそ扱いながら、「学ぶ楽しさ」、「考える面白さ」、「大自然の不思議」を伝え、子どもたちがその喜びをバネに学習のよき習慣と正しい学習の仕方を身につけていくこと。それらを目指した塾運営を続けている。

※本書中の写真は花まる学習会の授業とサマースクールから。「花まるエッセイ」は、毎月の保護者へのお便り「花まるだより」巻頭文から選んだものです。
（①1999年3月 ②2000年11月 ③2002年5月 ④2001年8月
⑤2002年8月 ⑥1998年9月）

小３までに育てたい算数脳

2005年８月1日初版発行
2022年６月19日第28刷発行

著　者　高濱正伸
発行者　小林真弓
発行所　株式会社エッセンシャル出版社（旧：健康ジャーナル社）
〒103-0001　東京都中央区日本橋小伝馬町7-10
　　　　　　ウインド小伝馬町Ⅱビル6階
TEL03-3527-3735　FAX03-3527-3736
印刷・製本　株式会社アクセス

ISBN978-4-907838-26-3 C0037
※定価はカバーに表示してあります。
※落丁、乱丁などの品がありましたら、送料負担の上、お取り替えいたします。